Les enfants
de la
Terre Nouvelle

Les enfants de la Terre Nouvelle

Tome 1 – Les nouveaux enfants
Tome 2 – Communications et relations harmonieuses avec les nouveaux enfants

LUCIE MARCOTTE

Éditions L'Or des Temps

Éditions
L'Or des Temps, diffusion
CP 1042, Succ. Mont-Rolland
Ste-Adèle, Québec
J8B 1B1

Diffusion
Tél. : 450 229-4555
Fax : 450 229-4977

Couverture
Carl Lemyre
Maquette intérieure
Sébastien Rougeau

Toile de la couverture
Chantal Arbour, artiste peintre
chantal-arbour@videotron.ca

Dépôt légal
Bibliothèque nationale du Canada
Bibliothèque nationale du Québec
3ᵉ trimestre 2005

ISBN : 2-89557-003-5

Catalogage avant publication de Bibliothèque et Archives Canada

Marcotte, Lucie, 1958-

Les enfants de la Terre Nouvelle

Comprend des réf. bibliogr.
Sommaire : v. 1. Les nouveaux enfants ; Communication et relations
harmonieuses avec les enfants.

ISBN 2-89557-003-5 (v. 1)

1. Enfants - Psychologie. 2. Enfants et adultes. 3. Communication interpersonnelle chez l'enfant. 4.
Enfants - Langage. I. Titre.

BF721.M285 2005   155.4   C2005-941516-9

À Benjamin, Eszter, Françoise et Hubert.
À tous les enfants du monde,
petits et grands, jeunes et vieux,
qui choisissent de se recon-Être, ren-Être et Être !

REMERCIEMENTS

Voici quelques mots du cœur pour remercier des personnes que j'aime tout simplement. Merci à chacun d'avoir apporté par votre Amour et votre façon d'Être une contribution dans l'inspiration et la réalisation de ce livre.

Merci à ma famille biologique, Simon, Huguette, André, Pierre, les quatre merveilleux enfants Hubert, Françoise, Benjamin et Eszter qui sont des perles d'Amour, ainsi qu'à Danielle et Chantal, les mamans de ces beaux enfants.

Merci à ces nombreux amis d'âme et de cœur un peu partout sur la Terre et dans l'univers. Merci pour les expériences et les leçons de sagesse que nous avons partagées. Merci en particulier à Jacques, Sylvaine, Normand, Rachel, Michel, Béatrice, Martin, Micheline, Monyk, Claire, Louis, Emmanuelle, Claude, Johanne, Nathalie, Marie-Madeleine, Ananda, Monique, Ismail, Clermont, Annick, Marco et tant d'autres.

Merci tout spécialement aux enfants rencontrés en personne, par les voies du cœur et les grilles énergétiques. Merci à la Source d'Amour, aux Maîtres Ascensionnés, aux Anges et Êtres d'Amour qui m'accompagnent dans tous les espaces, temps, plans et univers. Merci à Merkaba, la cocotte douce qui m'accompagne par sa présence et ses caresses quotidiennes.

Amour, paix, joie, vérité, unité, abondance, douceur, simplicité, gratitude, sagesse, conscience, bénédictions et tout ce qui est bien et bon pour chacun ! Que l'Idéal Divin se manifeste. C'est accompli Merci !

Amusez-vous à être, créer et rire comme un enfant ! Soyez heureux !

Lucie

TABLE DES MATIÈRES

- Donner et recevoir du feedback
- Se permettre de voir les choses autrement
- Transformer les perceptions
- Orienter l'attention vers les solutions par la co-création
- Décoder les véritables demandes et priorités des enfants
- Négocier avec les enfants

- Apprivoiser le langage du corps
- Faire grandir les dons, forces et talents par l'exemple
- Apprivoiser le langage des yeux

- L'expérience des sens
- L'expérience visuelle
- L'expérience auditive
- L'expérience kinesthésique
- L'expérience olfactive et gustative
- L'expérience du dialogue intérieur
- Favoriser une expérience équilibrée
- Le vocabulaire des sens
- Élargir la portée de ce que nous partageons avec les enfants
- Faire évoluer ou transformer l'impact de ce qui est perçu par les enfants
- Élargir la vision des enfants
- Le pouvoir des métaphores

PRÉFACE DE L'AUTEURE

Bonjour ! C'est un plaisir de vous rencontrer par l'énergie de ce livre et de partager en toute simplicité mes perceptions, expériences et inspirations du cœur pour comprendre et accompagner les enfants d'aujourd'hui.

D'aussi loin que je me souvienne, j'ai souvent eu le sentiment de me sentir étrangère sur la Terre. Pendant longtemps j'ai compensé cette sensation en créant des scénarios visionnaires qui m'apportaient un sentiment de réconfort temporaire et une force de persévérance pour avancer vers cet idéal. Il m'arrivait de regarder les étoiles en me demandant d'où je venais et à me promener dans un monde intérieur d'amour idéalisé. Dans mon esprit, je m'aventurais à imaginer que mes pensées, paroles et actions agissaient comme des baguettes magiques pour transformer le monde et y ramener l'harmonie et la paix véritable. Je rêvais que l'idéal divin puisse se manifester instantanément sur la Terre et que nous y soyons tous pleinement et totalement heureux.

En fait, ma personnalité s'amusait dans un mélange de jeux d'illusions et de la réalité de l'Amour. J'avais oublié que j'étais déjà l'Amour, que je n'avais rien à faire pour être aimée ni personne à sauver parce que nous sommes tous Amour et déjà aimés à l'infini. J'avais simplement à me rappeler que Je Suis Amour et à le rayonner librement, ici et maintenant, les deux pieds sur Terre. La vie est simple… je l'avais souvent oublié.

Au fil des voyages intérieurs autant que terrestres, j'ai rencontré quotidiennement plusieurs personnes que j'appelle aujourd'hui des Anges déguisés avec des costumes de personnalités, ainsi que d'autres sagement habillés avec leurs robes de Lumière. Chaque rencontre et expérience ont contribué à éveiller graduellement ma conscience et le ressenti de l'Amour qui s'était endormi en moi. En apprenant à prendre du recul pour m'observer être et agir, j'ai réalisé comment je m'y prenais pour créer les expériences que je vivais afin de pouvoir remettre de l'Amour là où il en avait manqué et accueillir les apprentissages et leçons de sagesse de la vie. Un pas à la fois, je continue à expérimenter le pouvoir de l'Amour et de notre nature de créateur divin. De voix de sagesse en voie de sagesse, le chemin des terres arides se transforme en terres de guérison et en jardin de reconnaissance, d'Amour, de confiance, de création et d'harmonie en unité avec le Tout.

Lorsque la voix de mon cœur m'a emmenée à faire un choix décisif dans ma vie professionnelle et personnelle il y a quelques années, je n'avais vraiment aucune idée consciente de ce qui était devant moi et pourtant l'appel intérieur était tellement fort que je n'aurais pas pu faire autrement sans avoir le sentiment de mourir vivante. C'était un bien grand pas dans le vide pour moi car plusieurs perceptions dans mes fondations de sécurité, de reconnaissance de qui Je Suis, de confiance, d'amour et de respect de moi étaient dépendantes de mon lien avec l'extérieur. S'il y a eu de nombreux passages de doutes et de questionnements dans ma vie, celui-là a toujours été très clair.

À un ami qui m'avait demandé qu'est-ce que j'allais faire ensuite, je me souviens lui avoir répondu spontanément qu'il y avait beaucoup d'enfants qui étaient déjà là sur la Terre et qu'ils avaient simplement besoin d'être aimés et de se rappeler ce qu'Ils sont. Je me suis toujours rappelée cette phrase qui était sortie spontanément et avec une force intérieure puissante. Mon cœur savait que la direction était l'Amour et la reconnaissance de Soi et que cet appel intérieur était tellement fort que j'avais heureusement choisi de l'écouter.

Au fil des formations, des rencontres et des expériences avec des adolescents et jeunes enfants, ma route s'est naturellement orientée vers les enfants indigo. Je me suis souvent sentie impuissante pour répondre à ceux qui me demandaient de me situer professionnellement avec un titre standard et de nommer précisément ce que je faisais car c'était une découverte et une évolution continuelle et rapide. C'est là que j'ai compris que les chemins de la création se créent en se créant et en apprenant simultanément à lâcher prise sur les croyances et programmations d'un ancien monde pour participer à créer une Terre Nouvelle. Cela m'a permis d'écouter de mieux en mieux la voix de mon cœur et de comprendre autrement celle des petits et grands enfants de tous âges que j'ai rencontrés.

Je vous propose dans ce livre les perceptions et compréhensions actuelles que j'ai des nouveaux enfants et de certaines approches pour les accompagner. Bien qu'il y ait actuellement quelques livres sur les enfants indigo, je n'en ai lu qu'un seul, soit « Les enfants indigo » écrit par Lee Carol et Jan Tober, chez Ariane Éditions, 1999, et cette lecture a été longue et difficile pour moi car d'une séance de lecture à l'autre, j'avais le sentiment d'oublier aussitôt ce qui était lu et d'avoir toujours à recommencer. J'ai ensuite choisi d'écouter mon ressenti qui semblait m'éloigner de tous les autres livres qui avaient été publiés jusque là. Je me suis permise un peu plus tard de lire « Les petits princes d'aujourd'hui », publié par Esthercielle, et « Je viens du Soleil » de Flavio Cabobianco aux Éditions Aureas.

J'ai ensuite compris par un message de Lumière que je devais écrire à partir de ce qui était inspiré dans mon cœur et de mon expérience sans être influencée par ce que d'autres personnes avaient écrit au sujet des nouveaux enfants. Maintenant que ce livre est achevé et que d'autres personnes me parlent de ce qu'elles ont lu, je réalise que fort heureusement nous parlons de l'essence de la même réalité. Cela a été un très grand exercice de reconnaissance et de confiance en moi. Cela m'a aussi apporté la confirmation que dans l'unité avec le Tout et la conscience collective des nouveaux enfants, plusieurs personnes sont divinement inspirées des mêmes enseignements. En terminant la rédaction de ce livre, je suis allée en librairie pour inclure dans la section des références une liste des livres concernant les nouveaux enfants, et ainsi offrir aux lecteurs des écrits complémentaires issus de la perception et de l'expérience d'autres auteurs.

D'un commun accord avec l'éditrice, les deux premiers tomes ont été regroupés dans ce livre pour en accélérer la diffusion auprès du public. La première partie (tome 1) parle des nouveaux enfants et aborde des façons de les reconnaître et de comprendre leurs comportements, attitudes, croyances et valeurs. La seconde partie (tome 2) offre des outils concrets de communication et d'interaction qui m'ont été fort utiles avec eux. Vous y reconnaîtrez quelques outils traditionnels adaptés à la réalité des enfants d'aujourd'hui et une grande variété d'approches initiées par la voie du cœur.

Vous y trouverez également quelques suggestions d'exercices accessibles pour les enfants, adolescents et adultes. Ces exercices peuvent être utilisés tels quels ou servir de semences pour vous inspirer une multitude de nouvelles versions et créations.

Lorsque cela est approprié, je suggère de compléter ces exercices par un cercle de sagesse, c'est-à-dire une place de parole offerte dans un climat d'accueil, de respect et de gratitude. Cet échange de cœur à cœur permettra à chacun de partager ce qu'il a appris dans ces expériences, de prendre individuellement et collectivement conscience des conséquences des divers choix et découvertes, d'en faire émerger les leçons de sagesse et de proposer de nouvelles solutions ou idées lorsque cela est pertinent. J'invite les animateurs à expliquer aux enfants qu'un cercle de sagesse est un espace privilégié pour choisir d'être en paix et apprendre à vivre en harmonie dans la vie quotidienne. La plupart des enfants répondent positivement à cette invitation et ils apprécient les opportunités de s'exprimer avec transparence.

Tous les enfants veulent être heureux ! Et bien que leur réalité soit celle d'une conscience éveillée à la vie et d'une énergie de plus en plus élevée, l'adaptation à la vie sur la Terre reste un chemin d'expérience et d'évolution pour chacun. Pour faciliter ce cheminement, les concepts d'enracinement, de centrage et d'alignement sont régulièrement abordés dans cet ouvrage. Afin que la compréhension de ces termes soit claire, je vais d'abord les définir de façon globale.

***L'enracinement*, c'est le processus qui permet d'être présent ici et maintenant, les deux pieds sur Terre, avec des fondations solides et des structures de vie nourrissantes.**

Le centrage, **c'est le processus qui permet d'amener notre attention dans le cœur, d'ouvrir notre conscience et de laisser l'Amour être le chef d'orchestre de notre vie.**

L'alignement, **c'est le processus qui permet d'unifier notre Être avec le ciel et la Terre afin de laisser l'Amour s'épanouir et s'exprimer librement dans toutes les facettes de notre vie, dans l'unité avec le Tout.**

La synergie qui émane de l'enracinement, du centrage et de l'alignement, favorise l'intégration harmonieuse de la vie avec un corps physique et la maîtrise de nos pensées, paroles, actions, de notre énergie et de notre vie. Dans les chapitres suivants, ces processus seront abordés de façon contextuelle pour favoriser par exemple, l'alignement du langage et la conscience du pouvoir des mots dans la création de relations harmonieuses avec les enfants ou encore le centrage dans le cœur pour établir une relation de Maître à Maîtres, entre soi et les enfants.

En explorant intuitivement ces façons de communiquer, les enfants offrent aussi de belles opportunités à un grand nombre de parents et d'adultes pour réapprendre à faire confiance à leur intuition et à la voix du cœur. Plusieurs auront observé que l'autorité imposée n'a guère de portée positive sur les enfants. Les voies du jeu, de la simplicité et de la transparence sont nettement plus efficaces et appropriées au développement des habiletés relationnelles et au respect des uns et des autres.

Vous trouverez dans la deuxième partie, de nombreux exemples et mises en situation dont le but est d'apprivoiser le langage verbal et non verbal dans une conversation de cœur à cœur avec les enfants. Tout le cheminement proposé tend vers l'intégration du langage du cœur qui est vibratoire et ne nécessite ni symbole ni interprétation. Puisque nous sommes encore sur la Terre, nous utilisons plusieurs formes de langage. C'est ainsi.

Vous trouverez également une brève introduction au langage des sens du cœur pour apprendre à regarder, voir, entendre, sentir et ressentir dans l'unité du cœur plutôt que dans la polarisation des hémisphères du cerveau. Cela conduit à une autre réalité d'expériences et de choix harmonieux. Les expressions « voir avec les yeux du cœur » et « l'intuition est le langage de l'âme » sont des exemples qui illustrent ce cheminement. Dans une prochaine publication, le tome 3 proposera une série d'exercices, de jeux et d'activités pour développer le langage des sens du cœur, favoriser la maîtrise des émotions et de l'énergie, de même que l'enracinement les deux pieds sur Terre.

Comme vous le constaterez, le présent livre aborde des situations de tous les jours et quelques fenêtres de conscience sur nos façons de communiquer. Le plus important est toujours l'intention d'Amour qui porte tout ce que nous partageons. Je vous invite à conserver votre discernement et à écouter la voie de votre propre cœur pour sentir ce qui vous convient et vous laisser inspirer vers ce qui est bien et bon pour vous et les enfants.

C'est maintenant un plaisir pour moi de partager une vision des enfants et de la Terre Nouvelle que nous pouvons créer ensemble. Ce livre n'est pas La Vérité. Ce que je vous offre est simplement ma perception actuelle de l'expérience que nous vivons ensemble. Amusez-vous à découvrir votre propre langage d'harmonie intérieure et à créer vos façons uniques de l'exprimer dans votre vie.

Bonne route ! Bonne lecture et soyez heureux !

Lucie Marcotte

LES ENFANTS DE LA TERRE NOUVELLE

TOME 1

LES NOUVEAUX ENFANTS

INTRODUCTION DU TOME 1
MESSAGE DES ENFANTS
DE LA TERRE NOUVELLE

« Nous sommes les enfants du Monde imaginé et rêvé depuis la nuit des temps. Nous sommes les enfants du paradis que nous créons à l'intérieur de nous. Nous sommes les enfants de l'idéal divin dans la perfection de sa création. Nous sommes les enfants de l'Amour. Et nous et vous ne sommes qu'UN. Nous sommes tous cette réalité dans notre potentiel. Il suffit à chacun de se le rappeler et de le manifester consciemment. C'est là la seule différence entre tous les Êtres de l'univers : l'expérience des milliards de milliards de fois recréée pour découvrir toutes les facettes du Christ-Al intérieur et éternel.

À l'infini, les enfants naissent, grandissent et changent d'expériences. À l'infini, les enfants sont, s'oublient, se rappellent et sont à nouveau. À l'infini, les enfants sont Amour. Et à l'infini ils le rayonnent librement. De toute éternité, les réalités se succèdent et les leçons de sagesse émergent de la joie individuelle et collective de cette découverte inéluctable d'être divin.

Nous, les enfants, souhaitons simplement être entendus, reçus et reconnus comme des enfants, comme des enfants de la Source. Nous, les enfants, souhaitons simplement que ce regard redevienne pour vous un jeu d'enfant car vous êtes enfants tout autant que nous le sommes. Les apparences ne sont que les apparences. La réalité, c'est que nous sommes UN, égaux et divins. La réalité, c'est que nous sommes ce que vous êtes et vous êtes ce que nous sommes. La réalité, c'est que vous et nous ensemble, nous sommes ce que Dieu est et Dieu est ce que nous sommes. C'est pourtant si simple. Ne mettez point les nouveaux enfants sur un piédestal ni sur une échelle de comparaison, car cela serait porter un regard de jugement sur vous-mêmes. Considérez-nous comme des pairs ou des amis que vous n'avez pas vus depuis longtemps et qu'il vous fait un grand plaisir de revoir pour continuer à boire ce jus ou à prendre cette collation que nous avions cuisinée ensemble au cours de nos nombreuses rencontres.

Les enfants d'aujourd'hui ne sont pas étrangers aux enfants d'hier ou de demain. Ils sont simplement ce qu'ils sont avec la conscience qu'ils en ont et ils se sont donnés rendez-vous sur la Terre pour y créer l'expérience appelée paradis terrestre. Vous pouvez imaginer le cheminement actuel que vous faites sur la Terre où vous apprenez quelque chose, un métier ou une profession et que vous mettez ensuite en application ce que vous avez appris tout en y ajoutant votre touche personnelle et une dose de créativité. Ce que vous aviez oublié, c'est que votre cheminement vous permet simplement de vous rappeler ce que vous savez déjà. Vous pouvez nous imaginer comme des petits qui sont déjà grands à l'intérieur et nous venons simplement rappeler et mettre en action ces potentiels déjà présents et conscients en nous.

Nous, les enfants, vous souhaitons la bienvenue dans notre chez-nous collectif, car l'univers est et il appartient à tous. Nous, les enfants, vous remercions de nous accueillir et de nous offrir des opportunités magnifiques pour faire grandir notre force d'Amour. Nous sommes très heureux d'être ici avec vous et, tout comme vous, nous avons parfois oublié qui nous sommes dans cette densité. S'il vous plaît, laissez grandir vos forces d'Amour et aidez-nous à nous rappeler aussi qui nous sommes lorsque nos cœurs et nos corps semblent voyager en parallèle. Rappelez-vous les paroles de Jésus qui disait « ce que vous faites au plus petit d'entre les miens, c'est à moi que vous le faites » et semez dans votre cœur cette conscience que l'Amour que nous avons les uns pour les autres est le chemin du retour à la maison, à la Source divine. Que cette Terre et que toutes les Terres intérieures soient bénies et s'éveillent totalement à l'Amour selon le grand Plan divin. Nous vous aimons. »

- 18 décembre 2003

LES NOUVEAUX ENFANTS

Les enfants d'aujourd'hui sont parfois appelés les « enfants indigo » ou les « nouveaux enfants ». Ils ont été nommés « enfants indigo » dans les années 70 suite à l'observation de la couleur indigo dans l'aura d'énergie qui les entoure dès la naissance. Cette couleur est associée à la conscience, à la vision de l'âme et des yeux du cœur. Ce sont des traits qui les caractérisent particulièrement et que nous pouvons voir en action lorsqu'ils sont heureux d'être eux-mêmes, ici et maintenant. Ils se sont donnés rendez-vous pour s'amuser à la création d'un paradis terrestre et faciliter le passage vers une Terre Nouvelle d'Amour et de paix. C'est leur mission commune.

En venant sur la Terre, ils ont aussi choisi de vivre des expériences d'évolution et d'en intégrer les leçons de sagesse. Pour les décrire brièvement, nous pourrions dire qu'ils sont intuitifs, créatifs, sensibles, pleins d'énergie, de conscience et d'Amour. Ils préfèrent choisir eux-mêmes ce qui leur convient dans leurs façons d'apprendre et de vivre. Lorsqu'ils sont bien équilibrés, ils manifestent une belle sagesse ainsi que des aptitudes géniales dans ce qui les intéresse. Ils sont remplis de créativité qu'ils veulent mettre en action et partager. Ils ont une abondance de dons, forces et talents à exprimer et plusieurs enfants ont également conservé l'éveil de leurs habiletés de télépathie, clairvoyance, clairaudience et de ressenti du cœur.

Parfois, nous pouvons aussi les reconnaître au fil de certaines expériences d'hyperactivité, de difficultés d'apprentissage, d'attention, de concentration, de dyslexie et de résistance à l'autorité. Dans ces situations, les enfants ont souvent des craintes conscientes ou inconscientes par rapport à la reconnaissance et l'acceptation d'être ce qu'ils sont, ainsi que la volonté, le pouvoir, le droit ou le mérite de s'exprimer librement sur la Terre. Ils ont souvent besoin de s'enraciner les deux pieds sur la Terre, de se centrer dans leur cœur, d'aligner leur connexion avec eux-mêmes, le ciel et la Terre, et de se rappeler la maîtrise de leur énergie. Ils ont parfois oublié qu'ils sont aimés à l'infini, de s'aimer et d'aimer inconditionnellement et il est essentiel pour eux comme pour chacun d'entre nous de s'en souvenir pour avancer avec Amour, liberté et légèreté.

D'autres enfants de nouvelle conscience naissent également sur la Terre. Certains ont une énergie blanche-dorée, d'autres ont une énergie rose-dorée ou dorée. Nous les appelons parfois les enfants de Christ-Al, les enfants Arc-en-Ciel et les enfants Solaires. Tout comme les enfants indigo expriment la conscience des cœurs ouverts, ces enfants manifestent particulièrement l'énergie de la compassion, de la paix et de l'Amour infini. L'expression « nouveaux enfants » les regroupe tous car au-delà de toutes les distinctions et caractéristiques que nous pouvons utiliser pour les décrire, ces enfants vibrent avec la conscience de l'unité et de l'égalité de notre essence divine. La plupart du temps, ils souhaitent que nous parlions d'eux simplement comme des enfants, car c'est ce qu'ils sont: des enfants. De cœur, de conscience et de liberté, ce sont les nouveaux enfants. C'est donc ainsi que nous les nommerons dans ce livre, en abordant à la fois la version « idéalisée » et la version « expérience » des nouveaux enfants et de ceux qui les accompagnent.

Bien que nous puissions considérer l'arrivée des nouveaux enfants comme un phénomène récent, d'autres personnages ont agi précédemment pour ouvrir les consciences et la vision de la vie tout au long de l'histoire de l'humanité. Sans être des personnages « indigo », ils étaient pourtant des Êtres conscients. Dans des domaines différents, nous pouvons penser par exemples à Socrate, Michel-Ange, Newton, Mozart, Einstein et de nombreux autres qui ont apporté leur contribution dans des domaines diversifiés. La particularité de notre époque est l'effet créé par le grand nombre de nouveaux enfants conscients qui se reconnaissent graduellement et développent ensemble la masse critique nécessaire aux grands pas d'évolution de l'humanité.

Il est fort probable que plusieurs se reconnaîtront dans l'expérience des nouveaux enfants. C'est tout à fait normal car lorsque nos propres cœurs et consciences s'ouvrent, notre expérience personnelle de créateur divin résonne alors avec les couleurs, les sons et les énergies divines de l'unité et de l'égalité. Nous devenons nous aussi des Êtres conscients. C'est un rendez-vous avec Soi pour tous !

Il est aussi probable que plusieurs personnes se sentiront éclairées, interpellées ou remises en question par certaines visions des choses. Cela est très intéressant aussi et permettra à chacun de développer son discernement et d'écouter la voix de son propre cœur pour savoir ce qui lui convient et ce qui ne lui convient pas, sans juger, simplement dans un état d'accueil. Bien sûr, il y aura également des gens qui reconnaîtront parfois les autres ou les voisins et ces rencontres seront porteuses de beaux enseignements de sagesse.

Lorsqu'ils sont bien centrés dans leurs cœurs, les nouveaux enfants sont des porteurs de transparence et de vérité. C'est avec beaucoup d'humilité que nous pouvons ensemble retrouver sur les chemins des miroirs la route qui nous conduit à l'essentiel, à « l'Essence-Ciel » ici et maintenant sur la Terre.

LES FONDEMENTS À LA BASE DE LEURS ACTIONS

Tous ces enfants sont venus pour participer à la création d'une Terre Nouvelle où l'Amour devient une réalité matérialisée. Depuis des milliers d'années, les civilisations évoluent avec des valeurs et des principes nobles. Pourtant, si nous regardons l'état du monde actuel, nous pouvons reconnaître avec humilité que malgré notre bonne volonté et les principes et valeurs mis de l'avant, nous ne sommes pas encore arrivés à créer un monde de paix et d'harmonie.

Sous une multitude de scénarios, ils agissent pour :

- Participer à une transition d'évolution de la Terre
- Transformer nos perceptions de nous, des autres, de la vie, du monde, de l'univers
- Réaligner certaines fondations et valeurs humaines comme être et faire, égalité, unité, abondance, intention, instant présent, simplicité, etc.

Voici une description de cet idéal proposé par les scénarios d'action des nouveaux enfants.

LA PARTICIPATION À UNE TRANSITION D'ÉVOLUTION DE LA TERRE

Nous vivons sur une planète magnifique. Vue de l'espace, cette boule bleue est délicieuse à contempler. Vivante et en pleine évolution tout comme nous, simplement à un autre rythme, la Terre s'apprête maintenant à changer d'école. Tout comme nous passons graduellement du primaire au secondaire, puis au collège, à l'université ou à l'école de la vie, la planète s'apprête à graduer de la troisième à la quatrième et la cinquième dimension, c'est-à-dire à accéder à un autre niveau d'évolution et d'expérience de vie dans l'univers.

Pour illustrer cette transition, imaginons que nous avons une radio syntonisée à un poste particulier. Nous entendons la musique qui est transmise sur ce poste. Pourtant il existe une diversité d'autres postes accessibles. Par exemple, sur la fréquence 96,6 c'est CTICI, sur la fréquence 99,8 c'est CLA, sur la fréquence 103,5 c'est CTAYEUR. Tous ces postes émettent leur musique simultanément mais nous entendons seulement celle sur laquelle nous sommes syntonisés. La Terre a donc joué depuis longtemps la musique d'un seul poste et a commencé à augmenter sa fréquence pour jouer une autre musique. Elle augmente graduellement sa fréquence de la troisième dimension où se joue l'expérience des dualités, à la quatrième dimension par l'ouverture du cœur et l'élévation de la conscience, puis à la cinquième dimension pour créer l'expérience de l'Amour, de la paix et de l'harmonie. C'est la fréquence d'un paradis terrestre où nous amenons le ciel sur la Terre et où les leçons de sagesse sont intégrées dans l'Amour et la conscience de l'unité avec le Tout. Et oui, c'est une réalité !

Le paradis terrestre est accessible à toutes les personnes qui choisissent de reconnaître et d'exprimer leur nature divine. Tout comme la Terre, leurs fréquences vibratoires s'élèvent aussi vers cette cinquième dimension alors que les autres continueront un pas à la fois leur chemin d'évolution sur une autre Terre de troisième dimension. Par leur présence, l'énergie des nouveaux enfants active et favorise cette transition.

Ils sont des activateurs de l'éveil du cœur et de la conscience. En fait tous les Êtres de l'univers sont divins et il n'y a pas un Être divin qui est plus divin qu'un autre. Nous sommes tous égaux. Les nouveaux enfants sont simplement davantage éveillés à cette conscience de leur divinité et leur rayonnement est un catalyseur qui stimule l'éveil de ceux qui sont endormis et qui ont oublié leur réalité.

LA TRANSFORMATION DES PERCEPTIONS

Avec le cœur léger, les nouveaux enfants apportent la pureté et la simplicité dans les perceptions que nous avons de nous, des autres, de la vie et du monde. Ces enfants, adolescents et jeunes adultes s'amusent et s'amuseront à transformer les perceptions et les choix qui sont à la base des systèmes sociaux, d'éducation, de santé, politique, culturel... pour que la paix et l'harmonie soient une réalité tangible.

Gandhi disait : « Sois le changement que tu veux voir dans le monde ». Ces enfants viennent simplement Être ce qu'ils sont et agir par l'exemple. Par leurs présences, ils inspirent ceux qui le désirent à transformer leur vie pour être simplement ce qu'Ils sont. Ils nous rappellent le pouvoir de l'Amour et que les ombres de la vie existent pour faire briller et grandir la lumière en chacun de nous ! La noirceur, la peur, la négativité et les illusions peuvent nous atteindre seulement si nous leur donnons du pouvoir consciemment ou inconsciemment. Les enfants nous rappellent le pouvoir de l'Amour et la maîtrise du créateur divin que nous sommes en unité avec le Tout. Voici quelques exemples de leurs contributions pour transformer les perceptions.

Être et faire

Imaginons le gouvernail d'un bateau qui est aligné dans une direction précise. Imaginons maintenant un petit changement de direction. Même si le changement semble imperceptible au départ, il mènera éventuellement vers un nouveau cap, dans une direction de plus en plus éloignée de l'intention d'origine. Par analogie, cela décrit ce qui est arrivé lorsque nous avons eu la perception qu'il fallait faire pour être. Les nouveaux enfants nous rappellent qu'au lieu de « faire pour être », il s'agit simplement « d'être et de faire » c'est-à-dire reconnaître qui nous sommes et de créer à partir de ce que nous sommes.

Ce réalignement de perception a comme effet de transformer les processus d'apprentissage et d'expérimentation tout au long de la vie. Nous pouvons dans un premier temps nous libérer de la croyance que nous avons quelque chose à faire pour être aimés, acceptés, reconnus, valorisés... puis accueillir et aimer inconditionnellement toutes les expériences que nous avons vécues avec cette façon de penser. Cela nous rend disponible à nous-mêmes pour nous re-con-Être, c'est-à-dire « être de nouveau avec Soi » avec une nouvelle conscience et un sentiment de gratitude par rapport à la vie. Nous pourrions davantage saisir la portée de ce sentiment de reconnaissance en l'écrivant par exemple sous la forme reconnaissance, re-co-naissance ou encore re-con-essence, qui illustrent bien le cheminement qui nous amène à nous rappeler notre essence et à la laisser vivre librement. Cela nous rappelle la certitude que nous sommes aimés, que nous avons toujours été aimés et que nous serons toujours aimés à l'infini, à nous aimer par-dessus tout et choisir d'aimer, d'être et de créer à partir de ce que nous sommes.

L'égalité

Imaginons la myriade de personnages qui déambulent le soir de l'Halloween. La magie dans cette célébration, c'est que peu importe que les costumes soient ceux de sorcières, de pirates, de bonnes fées, de clowns, d'animaux, d'hommes ou de femmes... en dessous, il n'y a que des enfants qui veulent être heureux ! Tous les êtres de la Terre veulent être heureux !

Les nouveaux enfants nous rappellent que quels que soient les costumes des personnalités que nous portons, il y a une étincelle divine en chacun. Nous expérimentons simplement des chemins et scénarios différents pour nous libérer des attaches aux rôles que nous jouons afin de nous reconnaître et être nous-mêmes. **Nous sommes tous égaux.**

L'unité

En accueillant leur fréquence vibratoire et leur connaissance, les nouveaux enfants ont le potentiel d'évoluer et de multiplier l'exemple des dauphins qui vivent individuellement et collectivement la pure essence de l'unité. Les dauphins sont de grands Maîtres et enseignants de l'unité. Ils vivent avec une conscience unique. Ils vivent en équipe, s'entraident et partagent leurs forces et habiletés individuelles. Il n'y a ni compétition ni lutte dans l'expérience des dauphins car chaque fois qu'un dauphin apprend quelque chose, cela est partagé avec tous les autres dauphins par la voie de la conscience collective. Par leurs façons d'être, ils enseignent les choix d'action gagnant-gagnant et que la meilleure façon d'avancer individuellement est d'avancer collectivement. Ils sont des exemples de leadership de coopération, de collaboration, d'harmonie et d'unité.

De façon analogue, les enfants de la Terre Nouvelle nous invitent à manifester la conscience et le leadership d'unité qui créera le monde d'Amour, de paix, de vérité, d'action juste et de non-violence dans lequel nous voulons vivre. Ils nous rappellent que l'Amour inconditionnel est la force de cohésion qui unit dans un esprit de collaboration véritable. **Nous sommes UN.**

L'abondance

Si nous demandions à l'Amour « Qui es-tu ? » Il pourrait nous répondre « Je Suis Tout, il n'y a rien que Je ne Sois pas. Je Suis l'eau, le feu, la terre, l'air, l'éther, les fleurs, les animaux, les arbres, les pierres, les chaises sur lesquelles vous êtes assis, les vêtements que vous portez, les crayons avec lesquels vous dessinez... les planètes, les étoiles, l'univers... Je Suis ce que Vous Êtes. Je Suis partout. Tout ce qui existe et n'existe pas est Amour. Je Suis l'Amour qui se crée, s'expérimente et se transforme dans le mouvement infini. Je Suis. »

Les enfants viennent nous rappeler d'ouvrir les bras et notre cœur comme des entonnoirs pour accueillir et matérialiser harmonieusement cette abondance sur la Terre. L'abondance est là et il y en a assez pour tout le monde ! Ils nous rappellent que l'abondance, c'est de laisser l'Amour être le Maître de notre vie et de nous ouvrir au bonheur de partager ce que nous sommes, ce que nous avons et nos connaissances, de donner et recevoir avec gratitude. **L'abondance est là pour tous.**

L'intention

Imaginons un jardin. Quand nous semons des graines de carottes et de laitue, il pousse des carottes et de la laitue.

Imaginons maintenant notre jardin intérieur. Si nous semons une graine d'Amour, il pousse de l'Amour. Si nous acceptons inconsciemment une graine de peur, il pousse de la peur, même en l'arrosant avec soin et en lui disant des mots doux.

Ce scénario ressemble à l'expérience de beaucoup de personnes actuellement. Cela génère beaucoup de négativité, de tristesse et d'incompréhension lorsque nous avons donné le meilleur de nous-même pendant longtemps pour faire pousser une graine et que nous avions oublié ou que nous n'étions pas conscients que c'était une graine de peur qui avait été semée.

Par leurs choix d'engagement, les nouveaux enfants nous invitent à régénérer l'intention d'Amour sur lesquelles germent nos actions et ils viennent questionner et transformer les systèmes, lois et structures issus de la peur et de ses dérivés. Ils perçoivent très bien ce que veut dire l'expression « on récolte ce que l'on sème ». **La Terre Nouvelle fera fleurir ce que l'on « s'aime » et ce que l'on sème avec Amour !**

L'instant présent

Imaginons une cuisine où toutes les portes d'armoires sont ouvertes. Notre attention peut être sollicitée et dispersée par tout ce qu'elles contiennent, même si nous n'en avons pas besoin en ce moment. Le pouvoir de l'instant présent, c'est centrer notre attention sur ce que nous vivons ici et maintenant et fermer avec sagesse les portes ouvertes du passé et celles des anticipations du futur.

L'instant présent est magique… il est et il n'est plus ! Et pourtant il est toujours là ! Alors pourquoi s'inquiéter ou vouloir le contrôler ? Les enfants de la Terre Nouvelle coulent avec la vie sans s'attacher au passé ou s'inquiéter de l'avenir. Ils sont présents, ici et maintenant. Ils sont occupés à jouir de chaque instant. L'éternité c'est pour toujours, alors pourquoi avoir peur de manquer de temps ? Et si nous choisissions simplement d'aimer ce temps qui est. **La vie c'est ici et maintenant.**

La simplicité

Les nouveaux enfants viennent simplement réveiller les fondations de pure simplicité que nous connaissons et que nous avons parfois oubliées. Ils préfèrent les jeux de la vie qui déclenchent les rires et les partages spontanés et qui multiplient le bien-être collectif. Les lois de la vie et de l'univers sont simples. **L'Amour est simple.**

LEURS RÔLES ET MODES D'ACTION SUR LA TERRE

Les nouveaux enfants sont nombreux. Ils n'ont pas tous le même rôle à jouer et ils agissent de façons complémentaires pour faire évoluer la vie sur la Terre. Comme les cinq continents actuels de la planète, ils sont tous différents et unis par le centre de la Terre... le cœur. Leurs rythmes, couleurs et cultures diffèrent et permettent l'expression de l'unité dans la diversité.

Nous pourrions distinguer leurs rôles de la façon suivante :

- **Les éclaireurs**
- **Les enseignants**
- **Les génies et les instruits**
- **Les aidants**
- **Les travailleurs pour la Terre**

Les éclaireurs ouvrent le chemin, les enseignants rappellent les lois de l'univers et ce que nous sommes, les génies et les instruits mettent la technologie, les systèmes et les structures au service de l'humanité, les aidants accompagnent les personnes dans leur cheminement et les travailleurs pour la Terre s'occupent de la planète. Simple et génial !

Ils agissent comme les nouvelles hormones qui viennent régulariser le métabolisme de l'humanité. C'est leur spécialité. Ils ne doivent pas être tout et partout. Ils ont à être là où ils peuvent apporter leur contribution à la vie sur la Terre. À chacun son rôle dans l'équilibre divin. Ensemble, ils nous rappellent que nous faisons tous partie d'un même corps et, par exemple, ils rappellent à l'œil et au pied qu'ils sont tous les deux importants et essentiels pour avancer dans une vision et pour voir où nous avançons.

LES ÉCLAIREURS

Leur rôle

Ils ouvrent les portes, sèment les idées, créent des ouvertures, apportent de la lumière. Les éclaireurs sont des « éclair-heure », c'est-à-dire qu'ils éclairent le temps où ils sont et ils défrichent les nouveaux chemins.

Leur défi d'action

Leur action est un défi sur la Terre car il n'y a pas de références quant aux chemins qu'ils doivent prendre. Ils sont là pour inventer ces nouveaux chemins et exprimer par l'exemple le potentiel créateur que nous avons tous. C'est également un défi pour eux de rester centrés dans leur cœur et de voir dans les champs et forêts humaines, les chemins qui n'existent pas encore pour avancer comme s'ils existaient. Leur création se manifeste un pas à la fois et le chemin se crée en le créant.

Leur défi de personnalité

Leur principale difficulté est la crédibilité. Ils sont souvent si petits, si sages et avec des paroles si réfléchies pour les non-initiés ! Ils sont divinement guidés pour créer sur leurs routes les déséquilibres nécessaires à un nouvel équilibre. Ils expérimentent parfois des sentiments de frustration et de découragement face aux réactions de peur, de résistance et de défense qui émergent. Ils se sentent parfois étrangers et impuissants pour amplifier et éclairer davantage la voie du cœur. Au cours de ces expériences, la confiance, l'impeccabilité et la droiture leur sont nécessaires pour être et demeurer au service de l'Amour plutôt que de s'en servir pour manipuler.

Leurs caractéristiques de personnalité

Lorsqu'ils ont une bonne connexion avec le ciel et la Terre, ils ont des éclairs de génie qui guident leurs pas pour matérialiser les inspirations de la sagesse divine sur la Terre. Il leur arrive d'avoir l'esprit ailleurs et d'écouter la radio à une fréquence joyeuse et aimante, puis de revenir ici et maintenant pour partager ce qu'ils ont entendu pour élever la fréquence vibratoire de la Terre. Tout comme la révolution musicale des Beatles a changé l'énergie d'une génération, les éclaireurs influencent l'évolution par la musique de l'Amour inconditionnel.

Ils ont de grandes forces potentielles et selon leurs éveils concrets dans le rôle d'éclaireurs, nous pouvons les reconnaître dans quelques-unes ou plusieurs de ces façons :

- Ils amènent les idées nouvelles qui réalignent les pensées, paroles et actions
- Ils acceptent les systèmes basés sur l'Amour
- Ils refusent les systèmes basés sur la peur
- Ils éclairent le chemin dont plusieurs rêvent depuis longtemps
- Ils initient les mouvements d'évolution et de transformation
- Ils reconnectent la spiritualité et la matière
- Ils ouvrent les consciences par leur façon d'être et de quitter la Terre
- Ils osent, ils ont du courage et de la volonté
- Ils ont un esprit positif et un moral impressionnant
- Ils n'attendent pas après les autres… ils avancent et regardent qui les suit
- Par leur exemple, ils invitent les autres à s'engager et à agir
- Leur message pourrait être « que la Force soit avec toi ! »

Des façons de les aider

- Les aider à s'enraciner les deux pieds sur la Terre, se centrer et s'aligner en unité avec le Tout
- Les aider à se reconnaître et à éveiller leur confiance et estime de soi en unité avec le Tout
- Les aider à être vrais dans le pouvoir de l'Amour et de l'unité

- Les aider à consolider leur sentiment de sécurité intérieure, de foi en Soi en unité avec le Tout
- Leur rappeler qu'ils peuvent choisir d'être heureux peu importe ce qui arrive autour d'eux

LES ENSEIGNANTS

Leur rôle

Le rôle des enseignants est d'enseigner les lois de l'Amour appliquées dans tous les domaines de la vie. Les enseignants « en-sein-gnent », c'est-à-dire qu'ils transmettent ce qu'ils portent en leurs seins, à l'intérieur d'eux, dans leurs cœurs, ce qu'ils ont intégré de la réalité de l'univers. Ils apportent des outils, exercices, expériences, pratiques, références pour permettre à chacun d'expérimenter, de ressentir, d'intégrer, de choisir et d'aimer.

Leur défi d'action

Leur défi d'action est de transmettre dans la simplicité les connaissances et lois de l'univers et d'offrir des occasions concrètes de les expérimenter consciemment, en unité avec le Tout. Une de leurs clés de succès est de savoir créer des opportunités pour faire émerger l'essence et les connaissances du cœur de chacun. Ils contribuent à la reconnaissance de Soi pour trouver nos voies et voix d'expression, pour réveiller nos forces, dons et talents et les mettre à contribution pour le plus grand bien de tous.

Leur défi de personnalité

L'enseignant n'est pas un titre. C'est une façon d'être et d'agir qui leur permet de vivre l'unité dans la diversité. Un de leur grand défi est de rester centré dans la sagesse et la vérité du cœur sinon leur attitude risque de se transformer en tyrannie et mépris pour ceux qui ont oublié ce qu'ils viennent enseigner ! Par leurs exemples et par leurs actions concrètes, ils encouragent à avancer et apprécier le chemin parcouru, un pas à la fois, plutôt que de s'attacher aux résultats. Ils accompagnent et invitent chacun à faire les ajustements nécessaires pour trouver leurs chemins d'harmonie, de sagesse et de paix intérieure.

Leurs caractéristiques de personnalité

Ils ont de grandes forces potentielles et selon leurs éveils concrets dans le rôle d'enseignant, nous pouvons les reconnaître dans quelques-unes ou plusieurs de ces façons :

- Ce sont des leaders naturels
- Ils ont une facilité d'expliquer simplement ce qui paraît compliqué à d'autres
- Ils font les connexions entre les détails du court terme et les effets et impacts à long terme
- Ils partagent leur vision des choses et de la vie et invitent chacun à partager la sienne
- Ils transmettent et prennent soin de la connaissance universelle
- Ils semblent être connectés en direct avec une bibliothèque universelle

- Ils résistent aux enseignements qui ne sont pas en harmonie avec les lois de l'univers
- Ils tolèrent difficilement les enseignants qui veulent les obliger à être et penser comme eux
- Ils restent distants des règles de hiérarchie et disent ce qu'ils ont à dire quand ils sont inspirés
- Ils communiquent et transmettent l'Amour dans de multiples formes d'expression
- Ils transmettent la joie et leurs messages en agissant dans les domaines de l'enseignement, de la culture (musique, couleur, mouvement...), des communications (radio, télévision, publications, Internet et autres médium...)

Des façons de les aider

- Les aider à s'enraciner les deux pieds sur la Terre, se centrer et s'aligner en unité avec le Tout
- Les emmener dans leur vérité du cœur plutôt que dans le rôle de sauveur
- Leur rappeler que nous sommes tous égaux et que nous sommes tous Un, car ils peuvent l'oublier lorsque les choses n'avancent pas au rythme qu'ils souhaiteraient
- Les aider à développer leurs habiletés de langage verbal, non verbal et intuitif pour mieux communiquer ce qu'ils enseignent et écouter ce que les autres ont à exprimer
- Les encourager à trouver des façons amusantes, concrètes et vivantes d'enseigner
- Leur faciliter l'accès aux activités de créativité, culturelles et de coopération sportive.

LES GÉNIES ET LES INSTRUITS

Leur rôle

Le rôle des génies et instruits est le développement de la technologie, les systèmes et les structure sau service de l'humanité et en accord avec les lois de l'univers.

Leur défi d'action

Ils sont venus pour inventer et innover. Ils vont « importer » des connaissances, découvertes et structures provenant d'autres parties de l'univers et les matérialiser sur la Terre. Ces petits génies se réveillent quand leur maturité est prête à s'engager à développer la technologie, les systèmes et les structures au service avec la conscience du service à l'humanité. Leurs innovations ont pour but de simplifier la vie et de créer des conditions et contextes favorables à l'épanouissement individuel et collectif.

Certaines personnes ressentent parfois une crainte quand ils entendent parler d'autres parties de l'univers. Peut-être pourrions-nous regarder cela autrement et nous rappeler qu'avant de naître sur la Terre, notre âme qui n'était pas encore dans un corps humain était alors « extra »-terrestre. Que nous venions du Mexique, de la Chine, du Gabon ou du Canada, nous pourrions dire que nous venons tous de la Terre. Similairement, que nous venions d'une planète ou d'une autre, d'une constellation ou d'une autre, nous venons tous de l'univers, de l'uni-vers car nous sommes UN. Les enfants génies et instruits sont des citoyens de l'infinité des mondes et ils adaptent les richesses technologiques de l'univers au contexte de la Terre.

Leur défi de personnalité

Leur plus grand défi de personnalité est de rester connecté avec le ciel, la Terre et les personnes ! Ils ont parfois tendance à devenir de grands passionnés de la technologie. Il est important qu'ils nourrissent un équilibre avec l'humanité. Cela leur permet de conserver la vision des créations technologiques et des recherches scientifiques au service des personnes et de partager les apprentissages et le feedback qu'ils reçoivent.

Leurs caractéristiques de personnalité

Ils ont de grandes forces potentielles et selon leurs éveils concrets dans le rôle de génies et instruits, nous pouvons les reconnaître dans quelques-unes ou plusieurs de ces façons :

- Ils ont une passion et une fascination pour la technologie, les systèmes et les structures d'harmonie
- Ce sont des petits génies du patentage, de l'informatique, des technologies de communication, la réseautique, l'ingénierie, l'architecture, la chimie, la biologie, la physique, l'astronomie, les mathématiques, la médecine, etc.
- Ils contribuent à la conception, la création, l'expérimentation et la matérialisation des projets
- Ils ont un intérêt pour les cristaux, les matériaux nouveaux, la géométrie sacrée, les lois de l'univers, la chimie de la vie du carbone, de la silice et des autres éléments, la biotechnologie de l'ADN, l'ingénierie, l'informatique, l'architecture, le cosmos, les communications de réseau, les technologies énergétiques, les lois de l'univers...

- Ils développent et renouvellent les technologies au service de l'humanité et de la planète
- Ils expriment par leur approche une nouvelle philosophie de l'économie, du commerce, de la santé, de l'éducation, de l'organisation sociale et environnementale
- Ils sont inspirés des technologies de l'univers lorsque leurs intentions sont pures.

Des façons de les aider

- Les aider à s'enraciner les deux pieds sur la Terre, se centrer et s'aligner en unité avec le Tout
- Favoriser un développement équilibré des sciences et des valeurs humaines afin qu'ils conservent bien cette vision de technologie au service de l'humanité
- Offrir des opportunités de contacts avec la nature, les éléments, les cristaux, les animaux, les plantes … pour réaligner la vision de la technologie au service de la planète
- Faciliter l'accès aux sites énergétiques et sacrés de la planète pour se relier et s'harmoniser à l'univers
- Faciliter l'expérimentation et l'apprentissage par l'action plutôt que par la théorie
- Les accompagner dans le développement du discernement et de leurs choix d'expérimentation
- Les aider à purifier leurs intentions et ouvrir leur conscience aux impacts de leurs choix.

LES AIDANTS

Leur rôle

Le rôle des aidants est l'accompagnement dans les cheminements et développements humains.

Leur défi d'action

Un des plus grands défis pour eux est d'accompagner dans la compassion sans jouer le rôle de sauveur et en laissant aux autres la responsabilité du cheminement qui leur appartiennent. Leurs dons intuitifs, de clairvoyance, de clairaudience et de ressenti du cœur sont souvent très développés, ce qui les éclairent dans le contact et la guidance de ceux qu'ils accompagnent. Tout jeunes, ils peuvent reconnaître ce qui leur convient et s'éloigner de ce qui ne leur convient pas. Ils intègrent l'amour inconditionnel en choisissant des actions initiées par l'Amour plutôt que par la peur. C'est par cet exemple vivant que s'ouvrent les grandes portes de la guérison pour ceux qu'ils rencontrent.

Leur défi de personnalité

En étant à l'écoute des autres, ils oublient parfois d'être à leur propre écoute. Il est important de les inviter à contacter leur ressenti et à faire des choix respectueux pour eux-mêmes. Leur cheminement personnel est leur plus grande source de sagesse pour accompagner ceux qui choisissent de redevenir maîtres de leurs vies. Leur contribution participe à régénérer des fondations de vie simples et joyeuses par le cheminement de libération des illusions, de reconnaissance de Soi et d'expérience d'Être.

Leurs caractéristiques de personnalité

À l'école, ils sont souvent habiles en mathématiques et dans l'organisation des projets, où ils développent leurs facultés de raisonnement et de logique en équilibre avec leurs dons intuitifs. Cela contribue à l'harmonie des forces yin et yang, féminine et masculine, intuitive-créative et logique-rationnelle pour eux-mêmes. Ils ont généralement du plaisir à partager les outils et apprentissages qu'ils ont faits.

Ils ont de grandes forces potentielles et selon leurs éveils concrets dans le rôle d'aidants, nous pouvons les reconnaître dans quelques-unes ou plusieurs de ces façons :

- Ils ont des dons d'écoute et de compassion très grands
- Ils sont prêts à aider spontanément
- Ils observent et savent où et vers qui aller spontanément
- Ils aiment s'amuser, créer et trouver plusieurs façons de s'exprimer
- Ils sont motivés par les projets et rassemblements humains pour une cause à laquelle ils croient
- Ils jouent souvent les rôles de médiateurs
- Ils agissent spontanément en sage et guérisseur dans les situations d'urgence
- Ils sont attirés par tout ce qui favorise le mieux-être et la guérison sous toutes ses formes
- Ils accompagnent les gens dans le rappel de leur potentiel d'auto-guérison et d'équilibre
- Ils aident les âmes dans les multiples étapes de passages de la vie.

Des façons de les aider

- Les aider à s'enraciner les deux pieds sur la Terre, se centrer et s'aligner en unité avec le Tout
- Les aider dans le discernement de l'accompagnement dans la compassion sans jouer au sauveur
- Les aider à être maître de leurs émotions, pensées, paroles et actions
- Leur rappeler qu'il est sage qu'ils soient eux aussi accompagnés dans leur cheminement
- Offrir des opportunités de développer l'équilibre du donner et recevoir
- Les inviter à exprimer comment ils se sentent et ce dont ils ont besoin
- Leur rappeler que le langage, les sons, les vibrations et autres approches d'accompagnement sont des outils pour harmoniser et activer la guérison si et seulement si la personne choisit de guérir dans son cœur
- Leur rappeler que le seul pouvoir guérisseur est l'Amour.

LES TRAVAILLEURS POUR LA TERRE

Leur rôle

Le rôle des travailleurs pour la Terre est la régénération de la Terre.

Leur défi d'action

Peu importe leurs champs d'activités, ils ont une conscience de la santé de la Terre et de son nettoyage. Ils agissent à tous les niveaux pour rétablir l'équilibre de la vie en harmonie avec la

Terre et l'univers. Ils initient ou s'engagent spontanément dans les projets de nettoyage des berges d'une rivière, de plantation d'arbres ou de préservation de la faune.

Leur défi de personnalité

Ils sont souvent minutieux et démontrent une grande dextérité, et quand ils sont impliqués dans un projet qui les intéresse, ils ont une très grande patience pour créer la réalité qui leur est inspirée. Bien que cela puisse arriver avec tous les enfants, les travailleurs pour la Terre expérimentent souvent l'hyperactivité, des difficultés scolaires, de comportement, de concentration, d'attention, la dyslexie ou des disharmonies psychiques lorsqu'il y a des peurs ou rejets inconscients reliés à leur acceptation d'être incarnés sur la Terre. Cela est souvent relié à des dualités intérieures ou à un déséquilibre significatif pour eux car pour réaliser leur choix d'âme d'être des travailleurs pour la Terre, ils doivent d'abord être ici !

Leurs caractéristiques de personnalité

Ils ont de grandes forces potentielles et selon leurs éveils concrets dans le rôle de travailleurs pour la Terre, nous pouvons les reconnaître dans quelques-unes ou plusieurs de ces façons :

- Ils sont les éternels amis des animaux, des plantes, des éléments et de la nature entière. Ils ramassent des roches, des coquillages et tout ce qui les fascine de la nature. Ils sont motivés par l'écologie, l'environnement, la géobiologie, la récupération, le recyclage, les cultures biologiques et écologiques…Ils aiment mettre de la beauté partout, les beaux paysages et jouer dehors

- Ils sont attirés par les projets de développement et d'équité planétaire, de commerce équitable, de répartition des richesses, des projets « sans frontières » ou pour la collectivité
- Ils agissent comme des piliers pour restaurer la connexion entre la Terre et le ciel et entre les sites sacrés de la planète
- Ils agissent parfois comme s'ils étaient plus jeunes que leur âge et ils veulent jouer, jouer, jouer.

Des façons de les aider

- Les aider à s'enraciner les deux pieds sur la Terre, se centrer et s'aligner en unité avec le Tout
- Favoriser les contacts et ressourcements en nature : ils y sont « chez eux »
- Faciliter la participation dans les activités en lien avec la nature et la santé de la Terre (jardinage, compostage, recyclage…)
- Encourager les projets de créativité avec des éléments de la nature, des objets et matériaux usagés
- Faire des exercices d'harmonisation des hémisphères du cerveau et de développement de la coordination du corps
- Les aider à résoudre les dualités intérieures, à exprimer leurs besoins et comment ils se sentent
- Les aider à mettre leur potentiel au service de leurs projets et réaliser leurs idées
- Les laisser jouer dehors et être patient pour respecter leurs rythmes d'apprentissage
- Favoriser les rencontres avec d'autres enfants nouveaux pour être et agir ensemble.

RECONNAÎTRE LES NOUVEAUX ENFANTS

Le chapitre précédent a apporté quelques caractéristiques reliées à leurs rôles. Ce chapitre décrira quelques caractéristiques reliées à leurs façons d'être.

Plusieurs personnes se demandent comment il est possible de reconnaître les nouveaux enfants. Dans un premier temps, disons que la majorité des jeunes enfants de cette génération sont des enfants de conscience éveillée. Plusieurs adolescents et quelques adultes sont aussi du nombre. Si les enfants sont nombreux sur la Terre en ce moment, un grand nombre d'entre eux semblent encore endormis. Ils ont momentanément oublié ce qu'Ils sont et ils vivent aussi les expériences d'illusions qu'ils ont choisies pour leur propre évolution. Tout comme ceux qui sont bien éveillés activent le cheminement de ceux qui les entourent, nous pouvons aussi activer l'éveil des nouveaux enfants.

Leurs comportements et attitudes s'adaptent aux mouvements de la vie et de leurs vies. Ils peuvent être des anges et ils peuvent aussi créer des climats qui sont parfois perçus comme de véritables enfers. À leurs façons, les enfants expriment comment ils se sentent à l'intérieur d'eux-mêmes et comment ils s'intègrent à la vie sur la Terre. Par résonance, ils reflètent également l'énergie des personnes et des mouvements collectifs avec lesquels ils sont en contact.

Quels que soient les champs d'intérêts qui les stimulent, certaines caractéristiques de personnalité nous aident à comprendre comment ils vivent ce qu'ils vivent. Dans l'harmonie, ils expriment au moment opportun une voie et une voix de sagesse. En toute simplicité, ils nous parlent du sens de la vie, de leur mission, des façons de guérir la Terre, de reconnaissance et d'Amour de Soi, de la vie sur d'autres planètes, des lois de l'univers, de mille et un projets créatifs qui contribuent au plus grand bien de tous. Dans la disharmonie, les résistances et malaises empruntent de nombreux visages qui sont autant de messages au sujet de leurs propres chemins pour se rappeler ce qu'ils sont ou pour favoriser l'évolution de la conscience des personnes autour d'eux.

Dans les actions de création, ils sont vivants, coopératifs et attentifs. Ils s'ennuient profondément ou décrochent rapidement lorsque nous leur demandons de recréer ce qui n'a pas fonctionné ou ce qui répète le passé. Ce sont des enfants qui regardent en avant !

Nous pouvons les reconnaître par les voies du cœur et de l'âme. La liste suivante offre des façons de les reconnaître par certaines caractéristiques de personnalités comme leur sensibilité, leur relation à l'autorité, leurs perceptions sensorielles, leurs consciences, leurs comportements et attitudes, leurs modes d'expression et de communication, ainsi que leurs approches pour l'éducation et l'apprentissage.

Ces éléments de personnalité seront abordés plus spécifiquement dans les chapitres et livres suivants.

La sensibilité

❑ Ont une grande sensibilité envers eux-mêmes, les autres, la Terre et la vie
❑ Ont parfois le sentiment d'être un étranger sur la Terre
❑ Ont parfois le sentiment de ne pas pouvoir être ce qu'Ils sont sur la Terre

- ❏ Ont parfois le sentiment de ne pas pouvoir dire et exprimer ce qu'Ils sont sur la Terre
- ❏ Ont parfois le sentiment que d'être sur la Terre est une punition
- ❏ Réagissent parfois par des mécanismes de dépendance ou de compensation à la vie sur Terre
- ❏ Réagissent parfois par l'effet miroir
- ❏ Réagissent parfois par l'effet éponge
- ❏ Réagissent parfois par la révolte, l'agressivité, la violence et l'autodestruction
- ❏ Ont parfois peur de la mort, de perdre des êtres chers, de se sentir séparés
- ❏ Ont avantage à consolider leur sécurité intérieure pour leur stabilité émotive et aimer leur corps
- ❏ Passent à l'action lorsqu'ils se reconnaissent et nourrissent leur estime et confiance en soi
- ❏ Ont le sentiment d'être déjà « vieux » à la naissance
- ❏ Démontrent de la compassion.

La relation à l'autorité

- ❏ Affirment parfois une attitude de « petit roi »
- ❏ Résistent à l'autorité non démocratique
- ❏ Ignorent souvent les menaces et les approches de culpabilité
- ❏ Veulent choisir eux-mêmes ce qui leur convient et se fier à leurs intuitions
- ❏ Ont tendance à vouloir négocier pour rééquilibrer les pouvoirs
- ❏ Acceptent la discipline par la conscience et les conséquences de leurs choix

Les perceptions sensorielles

❑ Expérimentent naturellement la clairvoyance et/ou la clairaudience

❑ Expérimentent naturellement la télépathie

❑ Ont un ressenti du cœur très développé (clair-sentience)

❑ Ont une intuition très développée

La conscience

❑ Ont une conscience visionnaire de l'univers et de la vie dans d'autres mondes

❑ Ont conscience du sens de la vie

❑ Ont conscience du sens de leur vie

❑ Ont conscience de ce qu'Ils sont

❑ Ont la conscience d'appartenir à une famille d'âmes

❑ Ont parfois une conscience missionnaire pour sauver la planète et les gens

Les comportements et attitudes

❑ Ont parfois des comportements d'hyperactivité et une énergie qui semble inépuisable

❑ Ont parfois des comportements difficiles

❑ Ont parfois des comportements lunatiques et déconnectés

❑ Ont parfois des difficultés de concentration et d'attention

❑ Ont parfois des difficultés d'apprentissage ou de la dyslexie

❑ Ont parfois des comportements et attitudes tout à fait équilibrés

L'expression et la communication

- ❑ S'expriment avec transparence et vérité peu importe les personnes ou le contexte présents
- ❑ Ont parfois des difficultés de langage et de prononciation de certains sons
- ❑ S'expriment parfois facilement avec un vocabulaire et une diction très précise
- ❑ S'expriment parfois par les dons et aptitudes artistiques
- ❑ S'expriment parfois par l'usage des écrans d'ordinateurs
- ❑ S'engagent dans les changements et réformes de la vie sur Terre quand ils sont prêts

L'apprentissage et l'éducation

- ❑ Apprennent par l'exploration
- ❑ Sont curieux, super créatifs et souvent impressionnants dans leur vivacité concrète
- ❑ Apprennent et se rappellent très rapidement les connaissances en harmonie avec l'univers
- ❑ Détestent la routine et la reproduction de ce qui a déjà été fait ou qui n'a pas fonctionné
- ❑ Deviennent frustrés et colériques s'ils n'ont pas de support pour réaliser leurs idées
- ❑ Sont des petits génies lorsqu'ils sont stimulés par quelque chose qui a du sens pour eux
- ❑ S'ennuient facilement si on les oblige à faire quelque chose qui n'a pas de sens pour eux
- ❑ Sont persévérants et restent assis seulement s'ils sont absorbés par une activité qui les intéresse

❏ Apprennent difficilement s'ils ont eu une expérience perçue comme un échec tôt dans leur vie

❏ Expérimentent parfois des difficultés de comportements, attitudes et apprentissages qui influencent le rythme et l'intégration de leurs apprentissages.

LA SENSIBILITÉ

L'HYPERSENSIBILITÉ

La majorité des nouveaux enfants ont une grande sensibilité et un de leur défi est d'apprivoiser cette sensibilité pour qu'elle soit intégrée comme une force plutôt que perçue comme une faiblesse. Le rejet de leur sensibilité conduit à la construction interne des mécanismes de défense et carapaces blindées.

Lorsqu'ils sont bien enracinés les deux pieds sur la Terre, centrés et alignés, ils développent graduellement la maîtrise de leurs énergies et émotions et ils acceptent de couler avec l'expérience de chaque instant présent. Leur sensibilité devient un atout pour les éclairer et les guider vers ce qui est juste et bon pour eux en unité avec le Tout. Ils se rappellent alors que moins il y a de résistance ou d'attentes, moins il y a de peurs et de souffrance, et que plus il y a de détachement et de souplesse, plus il y a d'Amour, de joie, de compassion et de gratitude.

Pour illustrer cela, imaginons les âmes des nouveaux enfants qui sont libres dans l'espace avant de naître et qui regardent la Terre en disant : « Wow ! Quelle belle planète bleue ». C'est quand même vrai que la Terre est une très belle planète vue de l'espace ! Par leur conscience d'unité et très éveillée à ce moment, ils savent que la Terre et ceux qui y habitent vivent actuellement un passage d'évolution important. Par leur conscience d'Amour, ils y voient aussi que beaucoup de personnes ont oublié leur nature divine et la simplicité d'aimer. Conscients de la puissance de l'Amour, plusieurs choisissent alors de venir en « vacances » sur cette Terre pour être ce qu'Ils sont et le rayonner librement. À leur façon, ils choisissent alors de participer à cette transition historique et y vivre des expériences uniques pour leur propre évolution.

Malgré ces bonnes intentions d'âme, plusieurs enfants expérimentent un effet de surprise lors des premiers contacts avec leurs corps physiques dans le fœtus. Alors que tout paraissait si facile et léger « vu d'en haut », le contact avec la densité du corps physique active l'impression qu'avec un corps si lourd et lent, ils ne pourront pas être ce qu'Ils sont, ni agir et s'exprimer librement. Plusieurs enfants ont alors le sentiment d'être séparés de leur Source et liberté divine et ils décident alors inconsciemment de refuser ou de résister à leur choix initial de venir sur la Terre. Lorsqu'ils sont au monde, ils peuvent avoir le sentiment d'y être un étranger et commencent à chercher le chemin du retour à la maison ou à vouloir se déconnecter de la Terre.

Selon leurs perceptions individuelles et leurs choix d'évolution, ils peuvent vivre l'expérience des illusions et sentiments de manque, rejet, abandon, trahison, punition, insécurité, etc. La conséquence est que cela crée dans leur vie un mélange d'expériences harmonieuses lorsqu'ils sont vraiment eux-mêmes et d'expériences disharmonieuses lorsque leurs perceptions incomplètes, tordues ou généralisées se matérialisent. Dans les comportements et attitudes, cela se manifeste par les expériences de peur, de négativité, les jugements, les rancœurs, les souffrances, le besoin d'avoir raison, les jeux de victimes, agresseurs et sauveurs et les cercles vicieux de patterns répétitifs qui accumulent les disharmonies.

Nous pouvons tous nous reconnaître d'une certaine manière dans ce scénario. Ce qui caractérise les nouveaux enfants c'est simplement que l'écart et le choc de la transition énergétique lorsqu'ils s'incarnent dans leur corps physique sont très grands car leur conscience initiale est plus ouverte que la majorité des personnes habitant la Terre en ce moment. La très grande sensibilité des enfants est reliée à cette vibration de l'Être qui est très élevée. C'est ce qui leur permet d'amener sur la Terre de grandes doses d'Amour afin de pouvoir passer à la cinquième dimension.

Cette grande sensibilité des nouveaux enfants leur permet également de reconnaître ceux qui viennent de leur famille d'âmes car ils ont des énergies et vibrations semblables aux leurs. Oeuvrant dans des contextes très variés, ils ont choisi des rôles semblables. Qu'ils soient éclaireurs, enseignants, génies et instruits, aidants ou travailleurs pour la Terre, les enfants bien centrés dans leurs cœurs peuvent reconnaître les opportunités de se rencontrer et de collaborer. Ils savent aussi reconnaître les opportunités de coopérer avec ceux des autres familles d'âmes pour que les rôles complémentaires permettent à l'équilibre nouveau de s'installer.

L'EFFET MIROIR

Les nouveaux enfants agissent souvent comme des miroirs impressionnants. Ils nous mettent en plein visage tout ce que nous nous cachons, n'avons pas envie de voir ou que nous n'avions pas vu de nos façons d'être et leurs conséquences. À leurs manières, ils offrent aussi le miroir de la façon dont ils se sentent traités ou dont nous nous traitons nous-mêmes.

Pour illustrer l'effet miroir des enfants, imaginons le scénario suivant. Nous venons de faire le ménage dans notre maison et nous avons passé l'aspirateur partout. Tout est propre... sauf les quelques poussières sous le tapis que nous n'avons pas relevé. C'est ainsi d'une semaine à l'autre. Si nous ne prenons pas le temps de faire ce nettoyage ou que nous ne sommes pas conscients qu'il y a des poussières sous le tapis, les nouveaux enfants vont nous le dire à leur façon. Leurs réactions vont être de douces à démesurées pour être certains que nous n'allons pas passer à côté et que nous allons compléter le ménage que nous avons commencé. Si nous résistons ou ne comprenons pas le message, eh bien il risque d'y avoir un beau dégât sur le tapis de telle sorte que nous allons être obligés de le nettoyer. Et si ce n'est pas suffisant et que nous nous en tirons avec un nettoyeur à vaporiser et aspirer, le prochain dégât sera assez gros pour que nous soyons obligés de lever le fameux tapis… et enfin nettoyer les poussières qui restent dessous ! Puis, si nous avons la tête bien dure cette journée là et que nous osons remettre le tapis par-dessus les poussières, Dieu sait ce qui surviendra au prochain épisode !

Bien, imaginons que ces poussières sous le tapis sont toutes nos émotions qui ne sont pas en paix, nos pensées, paroles et actions basées sur la peur, nos oublis de nous aimer, de nous reconnaître et d'être vrais… cela nous donne une petite idée de ce que nous pouvons vivre avec eux ! Autant cela peut être facile, autant cela peut être difficile selon que nous accueillons ou refusons les messages des expériences. Plus nous résistons, plus cela fait mal et dure longtemps. Plus nous accueillons, plus cela coule doucement. Rappelons-nous qu'ils nous aident à ouvrir nos cœurs et nos consciences.

Nous pouvons dormir bien en paix avec une certitude : ils nous aident à aller jusqu'au bout des choses. Ils pèsent sur tous les boutons possibles et imaginables pour nous amener à choisir de nous libérer de nos peurs et de la négativité pour être vraiment qui nous sommes et faire grandir nos forces d'Amour. Quel enfant n'a pas eu le rêve d'avoir des parents libres, heureux et pleins d'Amour ? Nous souvenons-nous ? Au-delà des apparences, c'est ce qu'ils disent : « Libère-toi, reconnais-toi et sois qui Tu Es ! » Les nouveaux enfants font cela partout et avec tous ceux qu'ils rencontrent. Merci !

L'EFFET ÉPONGE

La grande sensibilité des nouveaux enfants les amène souvent à ressentir ce qui se passe à l'intérieur des autres personnes, en particulier avec celles avec qui ils ont des liens affectifs ou énergétiques. Quand ils sont bien solidement enracinés, centrés et alignés, ils laissent l'Amour couler dans la situation. Mais s'ils sont déséquilibrés par des émotions ou des attachements, alors ils peuvent jouer consciemment ou inconsciemment au sauveur et ils agissent comme une balayeuse centrale qui éponge et aspire ce qui vient des autres !

L'impact de ce jeu est qu'ils se sentent coincés par des états inconfortables et des malaises qui ne leur appartiennent pas. C'est comme si leur fonction discernement était temporairement hors d'usage pendant ces expériences. Avec le temps et l'accumulation, il y a un méli-mélo interne qui se crée ainsi qu'autant de variations dans leurs humeurs et leurs comportements.

Alors, imaginons que nous sommes partis en voyage dans un pays étranger et qu'en cours de route, nous ne savons pas trop comment cela s'est produit, mais nous nous sommes perdus et nous ne trouvons plus notre billet de retour, et bien sûr, nous avons une envie irrésistible de rentrer à la maison. Pendant des jours nous restons au même endroit, soit à nous morfondre, à nous révolter ou à profiter d'être là. D'autres jours, nous osons avancer et aller dans d'autres villes et pays pour continuer la route. Peut-être même avons-nous momentanément oublié notre envie de rentrer à la maison et un jour ou l'autre, le désir profond refait surface. Puis un beau jour, nous rencontrons quelqu'un qui nous parle de ce qui nous connecte à notre maison et qui s'en va lui aussi dans cette direction. Quel est le réflexe humain : suivre cette personne qui paraît être une clé pour rentrer chez nous.

Imaginons le même scénario avec les enfants nouveaux qui ont une énergie d'Amour et de lumière très intense. Consciemment ou pas, ils ont l'effet de ce « quelqu'un qui nous connecte à notre maison ». Ils attirent à eux beaucoup de personnes qui souhaitent se libérer des négativités et beaucoup d'âmes errantes qui se sont trompées en pensant que le rayonnement des enfants est la source de lumière qu'ils recherchent ! Il y a des enfants qui accumulent tellement d'énergies disharmonieuses qui ne leur appartiennent pas, qu'ils sont comme des bombes à retardement qui explosent sous formes de maladies ou de comportements agressifs, irrespectueux ou imprévisibles, à moins de les désamorcer par l'Amour et leur rappeler leur propre pouvoir de rester centrés dans l'Amour.

Quand les « éponges » se réveillent et reconnaissent leur force de lumière, nous sommes parfois surpris des scénarios qu'ils inventent pour remettre de l'ordre dans leurs vies.

L'expérience d'éponge est une belle expérience d'évolution pour la reconnaissance, l'Amour, la confiance et le respect de soi, en unité avec le Tout. Cela peut sembler très valorisant de se sentir sauveur ou faiseur de paix, mais cela ajoute bien des sacs à dos de responsabilités sur leurs épaules. Consciemment ou non, le jeu de l'éponge apporte aussi l'illusion de contrôler ce qui leur fait peur à l'extérieur en le cachant à l'intérieur d'eux avec la croyance que cela est moins dangereux ainsi. Il est important qu'ils se rappellent de tout remettre dans l'Amour et que leur rôle premier est d'être eux-mêmes et de le rayonner librement, comme un phare qui éclaire un passage vers la Source.

Cette expérience nous rappelle que personne n'a besoin de sauver personne et que nous sommes tous des créateurs divins capables d'exprimer nos pouvoirs avec sagesse. Même les nouveaux enfants l'oublient parfois !

LE SENTIMENT DE SÉCURITÉ

Imaginons maintenant une personne qui est entourée d'amis, de famille, de Sages bienveillants et qui vit dans un monde de fête, d'abondance illimitée et de sécurité totale. Imaginons que cette personne se retrouve soudainement toute seule dans le désert sans téléphone portable, sans moyen de transport pour retourner à la maison, sans carte pour s'orienter, sans personne à qui parler. Cela ressemble un peu au petit prince de Saint-Exupéry avant qu'il ne crée le mouton et n'apprivoise le renard et sa rose.

En venant au monde dans un corps dense sur la Terre, l'âme a aussi l'impression de perdre tous ses points de repère et de support. Cela amène souvent un sentiment de chute, de solitude et d'insécurité. L'énergie des nouveaux enfants étant de plus en plus élevée, l'amplitude de cette illusion de chute est aussi de plus en plus grande. À moins d'être solidement enracinés sur la Terre, leur réflexe est souvent de se déconnecter de la réalité terrestre et de tenter de se réinventer une sécurité idéalisée. Cela peut se manifester, par exemple, par la rêverie lunatique, certains états de dyslexie contextuelle, des difficultés de coordination et d'apprentissage, l'hyperactivité et la difficulté de se concentrer. Ce qui est sous-entendu à tout ceci est une demande d'aide face à cette situation avec laquelle ils ont oublié comment composer et se recentrer.

Pour illustrer plus clairement les différentes facettes de l'apprivoisement à vivre avec un corps humain, voici quelques exemples. Imaginons un adulte qui a hâte de faire l'expérience de la plongée sous-marine et à qui nous demandons de revêtir un habit de plongée de taille enfant. Malgré l'enthousiasme des préparatifs et l'ardent désir d'aller découvrir un nouveau monde, son attention peut dévier parce qu'il se sent coincé et inconfortable dans un costume semblant trop petit. Cela ressemble à ce que vivent ces enfants qui ont souvent le goût de sortir de leur corps quand ils ont l'impression de se sentir à l'étroit. Parfois ils se révoltent et vont jusqu'à dire « Je ne viens pas d'ici. Je ne veux plus être ici. Je veux retourner chez moi. » Leur expérience est alors un sentiment de panique, de révolte, d'étouffement et de résistance à la vie.

Imaginons maintenant une énorme boule d'électricité qui flotte dans l'air, qui crépite et lance des flammèches partout. Pour que l'électricité soit utilisable, elle doit circuler dans des réseaux reliés à la Terre. Cela ressemble aussi à l'énergie de ces enfants qui ont besoin de s'enraciner les deux pieds sur la Terre pour que leur énergie élevée puisse rayonner et se matérialiser sur la Terre. Lorsqu'ils ne sont pas bien enracinés, leur expérience amène souvent des attitudes et comportements déconnectés de la réalité terrestre, l'hyperactivité, l'éparpillement et le manque de concentration. Ils peuvent avoir l'attitude d'un enfant-roi qui veut tout décider pour se donner inconsciemment l'impression que tout est sous contrôle et sous son contrôle, parce que cela lui apporte une illusion de sécurité.

Imaginons finalement l'âme d'un enfant qui a une perception vibratoire élevée de l'Amour et qui arrive sur Terre pour vivre l'expérience de ressentir cet Amour. Quand il ressent le méli-mélo terrestre de ce que nous appelons l'amour, de tout ce que nous faisons ou ne faisons pas au nom de l'amour, de tous les noms et symboles que nous y avons associés, et quand il ressent la présence de la peur et de la négativité autour de lui, alors il peut y avoir une réaction de « ouuuaaaaa…. c'est pas ça l'Amour » et une fermeture à laisser l'Amour entrer dans sa vie. Lorsque simultanément l'ajustement à la densité du corps physique ajoute l'impression d'être séparé de sa Source divine, alors le jeu des illusions amène toute une roue de scénarios d'émotions et de sentiments de rejet, d'abandon, de solitude, de déchirement intérieur, de contrôle, de manipulation, de frustration, de besoin, de manque, de jugement, de condamnation et de jeu de victime - agresseur - sauveur.

Ces exemples illustrent ce que les nouveaux enfants expérimentent quand ils font l'expérience des illusions de l'insécurité et de la peur. L'idée n'est pas d'accepter que cela soit et reste ainsi, mais simplement d'accepter que tout comme nous, les enfants vivent ces expériences. Une voie de sagesse est de nous rappeler mutuellement de nous enraciner les deux pieds sur la Terre, nous recentrer, nous aligner et retrouver la sécurité de l'Amour présent à l'intérieur de nous. Plus cela s'intègre, plus nous manifestons ce que nous sommes vraiment.

LA PEUR DE LA MORT OU DE PERDRE DES ÊTRES CHERS

Quelques nouveaux enfants ont une peur démesurée de la mort, ce qui peut paraître paradoxal étant donné leur niveau de conscience. Cette peur est parfois une expression de l'insécurité liée à leur naissance sur la Terre. Pour naître ici, ils sont morts à une autre dimension. Quand nous mourons ici, nous renaissons à une autre dimension. La vie, la mort c'est la même chose. Cela change de nom selon la perspective. S'ils ont enregistré dans leurs mémoires les difficultés de leurs expériences d'arrivée ou de départ de la Terre ou s'ils ont oublié que nous sommes éternels, ils peuvent expérimenter la peur de la mort ou de perdre des êtres chers. Cela peut également se traduire par la peur des transitions, du changement et la résistance lors de certaines étapes initiatiques dans leur vie sur Terre.

Les personnes qui meurent ne disparaissent pas. Elles continuent leur expérience sur une autre fréquence vibratoire que celle de la Terre actuelle. C'est pour cela que certaines personnes qui ont développé leurs habiletés à écouter d'autres fréquences vibratoires peuvent entrer en communication avec les âmes de personnes décédées ou d'Êtres vibrant sur ces fréquences. La conscience et le discernement sont essentiels parce que la qualité des messages est bien différente selon les plans de vibrations.

Il est intéressant également de prendre conscience que nos cheminements de vie nous préparent à renaître. Dans la troisième dimension, la mort semble naturelle et faire partie de la vie. En réalité, la mort est un lâcher-prise sur les illusions. Il n'est pas nécessaire de mourir physiquement pour changer de vie : il s'agit simplement de lâcher-prise sur les croyances, rôles, attentes et certaines façons d'être de notre personnalité.

En choisissant d'unifier notre personnalité avec notre corps de Lumière, notre processus d'évolution s'active afin que notre nature divine s'exprime librement et totalement. Lorsque nos cœurs s'ouvrent, se purifient, rayonnent la conscience et la certitude d'être des créateurs divins et éternels, alors la mort du corps devient simplement une option et nous pouvons vivre des centaines, des milliers d'années voire l'éternité avec un même corps. Le passage à l'immortalité est lié à l'évolution dans la cinquième dimension et est suivi du passage à l'Ascension où notre corps de Lumière est notre véhicule dans tous les espaces, temps et plans d'évolution.

LE SENTIMENT DE LA VALEUR DE SOI

Imaginons maintenant un enfant à qui nous offrons deux choses qui lui tiennent vraiment à cœur et qui croit ne pouvoir en choisir qu'une seule. Il peut hésiter avant de choisir ce qui lui paraît le plus important à ce moment parce qu'il a aussi le sentiment de perdre quelque chose d'important pour lui.

Ainsi, il arrive que les enfants renient inconsciemment le sens de leur valeur d'Être au profit d'une compensation, d'une sécurité extérieure pour être aimé, accepté et approuvé par leur environnement familial, social et culturel. Cela arrive dans les situations où le sentiment de solitude, d'être coupé de l'Amour ou l'insécurité semble trop grand.

Dans d'autres expériences impliquant des relations de contrôle avec les enfants, nous entendons parfois des gens utiliser l'expression « je vais lui casser son caractère ». Dans plusieurs cas, cela veut aussi dire éteindre une flamme trop brillante parce qu'elle éclaire des choses que nous ne voulons pas ou ne nous sentons pas capables d'accueillir maintenant. Cela remet en question les perceptions que nous avons de notre valeur d'Être d'adultes. Beaucoup de parents et d'enseignants pensent que leur valeur personnelle vient de ce que les enfants sont bien élevés, obéissants ou performants selon des critères ou attentes extérieures. Ils portent souvent sur leurs dos la responsabilité des comportements, apprentissages et cheminements des enfants. Ils ont simplement oublié que leur vraie valeur de parents ou d'enseignants vient de l'Amour qu'ils incarnent et partagent avec les enfants. Leur vraie responsabilité envers les enfants est de les aimer et les accompagner sur le chemin de reconnaissance et d'expression de ce qu'Ils sont, dans l'Amour.

Une conséquence de cette action de « casser le caractère » est que ces enfants apprennent à se soumettre aux personnes qui représentent l'autorité, qui crient plus fort qu'eux ou qui s'imposent plus vivement par la peur. À plus long terme, les enfants peuvent réagir en reproduisant les comportements d'autorité abusive. Ils peuvent aussi répéter ces expériences de victime dans leurs relations avec un patron, un compagnon/compagne de vie ou des amis par exemple. Au fil de ce cheminement, il est important d'aider les enfants à accueillir et remercier ces expériences qu'ils ont co-crées et qui font partie de leur apprentissage de sagesse à propos du pouvoir.

Une approche d'accompagnement responsable est de se centrer dans le Maître intérieur et d'amener son attention sur les façons de faire émerger le Maître en l'enfant. Cette attitude favorise la création d'opportunités propices à l'émergence des dons, forces et talents des enfants, et le cheminement pour les mettre au service du plus grand bien. L'exemple est toujours le meilleur enseignant. La sagesse nous rappelle que ces expériences font aussi partie du cheminement choisi par les enfants et les adultes, pour passer de l'amour du pouvoir au pouvoir de l'Amour.

Lorsqu'ils ont oublié le sens de leurs valeurs d'Être, les enfants ont l'impression d'être démolis quand une expérience vient bouleverser leurs structures ou équilibres de vie. Leurs fondations de sécurité extérieure et les structures de dépendance sur lesquelles ils se sont appuyés ne sont plus là. Ce sont des expériences de grand vide intérieur, d'impression d'échec et du sentiment de peu de valeur de soi. Les nouveaux enfants éteints peuvent vivre cette étape très intensément jusqu'à ce que leur conscience se réveille et leur rappelle qu'ils ont une valeur inestimable, qu'ils sont des Êtres divins et qu'ils n'ont rien à faire pour être aimés parce qu'ils sont déjà aimés à l'infini.

Par leurs présences et exemples, ils deviennent alors très habiles pour accompagner d'autres personnes qui vivent les étapes de passages des processus semblables. Ils sont des exemples vivants de notre capacité de nous recréer à neuf !

LA RÉVOLTE, L'AGRESSIVITÉ, LA VIOLENCE ET L'AUTODESTRUCTION

Imaginons maintenant un enfant qui se sent différent des autres et qui exprime à sa façon, souvent en silence, qu'il a besoin d'aide, qu'il a oublié qui il est ou qui a l'impression de ne pas être sur la bonne planète. Il semble difficile pour un enfant qui vit cela de reconnaître d'autres enfants qui vivent des expériences semblables et de sentir un sentiment d'appartenance tant qu'il ne s'est pas reconnu lui-même.

Lorsque les enfants ont oublié leurs chemins pour être heureux, ils projettent parfois leur mal-être à l'extérieur d'eux ou ils le retournent contre eux-mêmes. Ils sont susceptibles de vivre des états de révolte, d'agressivité et de violence pouvant aller jusqu'à l'autodestruction. Ils tentent de fuir l'expérience souffrante de l'oubli de Soi, l'impression de ne pas être aimés, de ne pas avoir de place, de ne pas être entendus et que leurs contributions ne sont pas reconnues dans le monde. Dans ces expériences de survie affective et émotionnelle, certains enfants choisissent de se conformer à une image sociale valorisée alors que d'autres choisissent des voies de compensation comme le tabac, la drogue, l'alcool, le jeu, la boulimie, l'anorexie ou toutes autres formes de dépendances et de déséquilibres. Certains choisissent aussi le suicide.

Ces expériences sont reliées à la distorsion des perceptions humaines au sujet de la reconnaissance, la confiance, l'amour, le respect et la réalisation de soi, en unité avec le Tout. C'est le résultat de l'action des virus de pensée ou des mécanismes de sabotage, c'est-à-dire des croyances basées sur la peur plutôt que l'Amour, et des illusions qui mènent à chercher à l'extérieur de soi ce qui est déjà à l'intérieur.

L'expérience de la drogue

Ceux qui consomment les drogues sur des périodes prolongées ont parfois l'illusion de vivre des états de conscience élevés, des « high » alors qu'en réalité leur qualité énergétique diminue avec la répétition des expériences. Même si ces illusions semblent atténuer artificiellement le ressenti des manques d'Amour, elles ne peuvent pas apporter l'Amour désiré ni ouvrir les véritables voies d'accès aux dimensions plus élevées. Inconsciemment, ces enfants, adolescents et adultes attirent à eux des entités qui se nourrissent de leur énergie, en perpétuant ainsi le cercle vicieux de l'illusion du « manque » et la soif insatiable caractéristique des dépendances et déséquilibres des corps physique, émotionnel, mental, spirituel de leurs personnalités. L'attrait de la drogue attire plusieurs nouveaux enfants qui recherchent une voie rapide, extérieure et illusoire pour reconnecter avec leur Soi divin sur la Terre.

La consommation répétée de drogues ralentit et rend plus difficile l'intégration des cheminements de sagesse proposés par les apprentissages de la vie. Avec la perspective de l'éternité, ce ralentissement est relié à l'expérience temporaire du « mal de l'âme ». La désintoxication, l'harmonisation et la guérison des corps énergétiques deviennent possibles lorsque ces personnes choisissent de remettre de l'Amour là où il en a manqué car seul l'Amour guérit.

Dans ces situations, une voie d'accompagnement est de leur offrir une présence et des opportunités propices à transformer les perceptions qu'ils ont d'eux-mêmes, des autres, de la Terre et de la vie. La prière et l'Amour de la Source divine, des Guides, Anges et Archanges peuvent les guider et les éclairer sur le chemin de reconnaissance de l'Amour et du créateur divin qu'ils sont. L'information et l'éducation sont des voies de conscience privilégiées. L'aide apportée par la flamme violette de St-Germain pour transmuter les énergies de peur, la négativité et les illusions ainsi que la flamme bleue de l'Archange Michael qui ramène à leurs sources les entités errantes sont des cadeaux magnifiques à leur proposer.

La révolte, l'agressivité et la violence

Dans les situations disharmonieuses, les enfants utilisent parfois la manipulation, le contrôle et les crises de colère comme soupapes ou pour s'adapter temporairement. S'ils gardent la négativité à l'intérieur d'eux, il est possible qu'elle s'accumule et se retourne contre eux sous formes de maladie ou d'auto-destruction.

Imaginons par exemple des enfants qui ont une conscience très élevée de l'Amour, qui sont témoins ou qui voient à la télévision ou au cinéma une situation avec beaucoup d'agressivité, de violence ou de destruction. S'ils sont bien enracinés, centrés et alignés, ils peuvent utiliser la compassion pour agir en commençant par l'Amour de soi, puis en apportant l'aide qui leur est possible d'offrir si c'est approprié. Sinon, ils peuvent refléter ou expulser l'agressivité et la violence qu'ils ont absorbées parce que cela est incompatible avec eux et que ce mécanisme leur semble essentiel pour maintenir leur intégrité. Ces comportements qui nous paraissent alors inacceptables sont des messages précieux sur les priorités de vie individuelles et collectives.

Lorsqu'ils demandent de l'aide, il est alors essentiel de leur rappeler que l'ombre et la lumière viennent de la même source et que l'ombre est là pour faire briller leur lumière et faire grandir leur force d'Amour ici sur la Terre. Nous pouvons leur proposer de s'enraciner les deux pieds sur la Terre, se centrer dans leur cœur et se réaligner dans leur réalité de créateurs divins.

Nous pouvons également nous rappeler que nous n'avons rien à faire pour rendre un enfant heureux. Qu'il soit petit ou grand, jeune ou vieux, il est déjà heureux. Il a simplement besoin de se le rappeler lorsqu'il l'a oublié. Dès qu'il le ressent dans son cœur et qu'il se reconnaît lui-même, le besoin de reconnaissance extérieure disparaît. Dès qu'il choisit de s'aimer sans conditions, en unité avec le Tout, la quête extérieure d'Amour disparaît.

LA COMPASSION

Les nouveaux enfants bien conscients savent que chaque personne est un Être divin qui s'est déguisé avec un corps et une personnalité sur la Terre. Leurs chemins de compassion et de service à l'humanité les amènent à reconnaître à chacun le droit d'être heureux et de les accompagner pour transmuter les souffrances en se rappelant ce qu'ils sont véritablement. Cela diffère des chemins de la pitié et de sauveurs qui consistent à empêcher les chemins difficiles des autres parce que ça nous dérange dans nos propres tripes.

Les nouveaux enfants ont leurs moments de sagesse et leurs moments d'enfants tout simplement. Dans leur cœur est la tendresse qu'ils savent exprimer au bon moment, souvent quand les autres sont exténués, pour permettre de continuer le chemin. C'est la sagesse de leur compassion.

LA RELATION À L'AUTORITÉ

LA RÉSISTANCE À L'AUTORITÉ NON DÉMOCRATIQUE

Les nouveaux enfants influencent beaucoup la vie autour d'eux. Ils accomplissent leur mission, parfois en douceur et parfois plus brusquement. Avec eux, tous les systèmes, lois, règles et structures fondées sur la peur et ses dérivés sont remis en question. Ils peuvent aller jusqu'à avoir une attitude intolérante parce que pour eux, le temps des compromis sur l'Amour est terminé.

Pour ces enfants, il n'y a pas de maître extérieur. C'est pour cela que leur rapport avec l'autorité non démocratique est souvent très difficile. S'ils sont bien centrés dans leurs cœurs, les attitudes très autoritaires, les menaces, la culpabilité et les manipulations sont inefficaces et coulent sur eux comme l'eau sur le dos d'un canard. S'ils sont décentrés, ils adoptent souvent une attitude de résistance et se barricadent dans un système de défense qui renforce leur carapace et endort davantage leur sensibilité.

L'ATTITUDE « ENFANT ROI »

Dans un contexte d'autorité non démocratique, ils adoptent souvent une attitude de « petit roi » pour compenser ce déséquilibre de l'encadrement. Comme ils reçoivent des ordres, ils réagissent en s'improvisant « petits rois » pour donner des ordres à leurs tours. C'est une expérience de l'effet miroir par laquelle ils veulent définir eux-mêmes les structures, les expériences et le parcours qui les amènent à la maîtrise du pouvoir.

Inversement, ils peuvent également s'improviser « petits rois » pour compenser les situations où il n'y a ni autorité ni encadrement. C'est alors une expérience d'adaptation pour trouver une voie d'équilibre entre ce qui est vécu à l'intérieur d'eux et ce qui se vit à l'extérieur.

Pour les enfants, l'attitude de « petit roi » est souvent une façon de réagir à ces déséquilibres de façon à établir des points de repère qui leur donnent l'impression de se sentir libres et en sécurité sur la Terre, qui leur permettent une expérience de leur propre pouvoir de créateur divin. Dans ce contexte, les « enfants rois » testent toutes les limites et poussent à l'extrême tout ce qui leur vient à l'esprit. Ceux qui ont tenté de contrôler ces enfants avec encore plus d'autorité non démocratique et de punitions ont souvent vu émerger plus de colères, de révoltes, de manipulations et de nouveaux jeux de pouvoir avec leur entourage. Dans les scénarios extrêmes, les enfants ont rarement l'esprit en paix, ils sont souvent insatisfaits à propos de tout et de rien et ils créent de plus en plus de scénarios pour contrôler ceux qui les contrôlent, les autres et la vie.

En fait, les « petits rois » recherchent leurs royaumes. Un accompagnement plus approprié leur permettrait de retrouver ce royaume à l'intérieur d'eux plutôt qu'à l'extérieur. Cela leur permet de passer de l'expérience de l'amour du pouvoir à l'expérience du pouvoir de l'Amour, et de l'utiliser avec sagesse. C'est leur pouvoir d'être heureux !

Les enfants qui manifestent cette attitude permettent à beaucoup de personnes autour d'eux d'évoluer et de retrouver leurs propres pouvoirs en apprenant à s'aimer, à dire « non » à ce qui n'est pas en harmonie avec l'Amour et à reconnaître leurs propres capacités de créer une vie harmonieuse. C'est ce qui permet à chacun d'être véritablement maître de notre vie, de nos pensées, paroles, actions et émotions et d'élever notre conscience à des dimensions plus élevées.

LES CHOIX ET CONSÉQUENCES

Les nouveaux enfants veulent tout choisir eux-mêmes. C'est simple. Ils veulent se choisir et créer ce qui les rend heureux. Quand ils ne sont pas enracinés les deux pieds sur la Terre, centrés et alignés, ils choisissent ce qui les rendront heureux à l'extérieur et évidemment ces demandes se succèdent sans fin sans jamais combler leurs attentes intérieures d'Amour, d'attention et de reconnaissance.

L'écoute des demandes réelles motivant leurs choix offre une compréhension intéressante de ce qu'ils vivent. Nous pouvons les encourager à écouter la voix de leur cœur et les signes dans leurs corps pour reconnaître ce qui est vraiment bon pour eux. Quand ils pensent à un choix et que leur cœur dit « wow ! », qu'ils sentent une grande chaleur ou un état de paix, alors cela est un bon choix pour eux. Quand le cœur dit « woooo… », se tait ou qu'ils ressentent un malaise, cela indique que quelque chose ne leur convient pas ou n'est pas pertinent pour eux à ce moment-ci. La réponse de leur cœur ne veut pas dire qu'un choix est bon ou mauvais pour les autres, cela indique simplement ce qui est leur voie à eux dans l'ici et maintenant.

Il est intéressant aussi de leur rappeler ou de leur faire prendre conscience que lorsque le « woooo… » vibre dans le bas du ventre, ce n'est pas le cœur qui parle, mais la peur. C'est dans cette région du corps que s'unissent nos forces masculines et féminines et de la même façon qu'un homme et une femme s'unissent pour créer une nouvelle vie, nos énergies masculine et féminine s'unissent pour créer notre vie. S'il y a de l'Amour, alors le processus de création est actif et se matérialise. S'il y a de la peur, alors chacun reste de son côté et rien ne bouge. Si cela est le cas, c'est important d'aider les enfants à prendre conscience de ce qui leur fait peur et de ramener l'harmonie par le don de l'Amour. Ils pourront alors écouter leur cœur à nouveau et faire les choix avec lesquels ils sont en paix.

La voie des choix et conséquences leur permet de développer une responsabilisation consciente de leurs créations. Plusieurs adultes disent pratiquer cette attitude de choix et conséquences avec les enfants en leur proposant si tu fais ceci, la conséquence est A et si tu fais cela, la conséquence est B. Cela demeure souvent une façon déguisée d'utiliser la voie des punitions et récompenses en demandant aux enfants s'ils veulent ou non répondre à leurs attentes et être récompensés ou punis. Dans ce scénario, ce sont les adultes qui ont le pouvoir de définir les conséquences.

Une plus grande intégration des choix du cœur est favorisée lorsque les enfants sont amenés à considérer les différents choix possibles et à prendre conscience de leurs impacts ou des expériences que cela rend possible. C'est alors plus facile pour eux de faire des choix éclairés tout en développant leur propre discernement et en mettant leurs pouvoirs en action avec sagesse. Ils ont alors l'opportunité de développer leur sens du leadership au service du plus grand bien et leur confiance en eux et en la vie.

LA DISCIPLINE

C'est la discipline du cœur qui nous aide à être et rester centré sur notre chemin de vie et accueillir une vie heureuse. Pour les nouveaux enfants, la discipline la plus efficace est celle de l'exemple. Avec eux, il est préférable de guider avec Amour et de clarifier les balises ou limites d'actions permises en leur laissant l'espace pour choisir, agir et expérimenter à l'intérieur de ces balises.

Même si les balises semblent raisonnables, il arrive souvent que les nouveaux enfants résistent lorsqu'ils ressentent qu'elles sont fondées sur le manque de respect de ce qu'ils sont, pour compenser les peurs, craintes et interdits encore présents dans les programmations des adultes ou parce qu'ils réagissent à une forme d'autorité non démocratique. Ils accepteront beaucoup plus facilement ces mêmes balises s'ils ressentent que l'intention qui les supporte est dirigée vers leur plus grand bien.

Le rôle de parent n'est pas de montrer comment être un bon parent. Il est d'accompagner les enfants dans la découverte et la réalisation de ce qu'ils sont. C'est dans ces actions que les parents se découvrent et se réalisent en bons parents, dans l'Amour, le respect, l'équilibre du donner et recevoir et la pureté des intentions.

LES PERCEPTIONS SENSORIELLES

L'ÉVEIL DES SENS

Dans nos vies actuelles, nous avons tous développé certaines aptitudes pour voir, entendre, parler, ressentir, sentir, goûter avec notre corps. Ces sens nous donnent des informations sur notre relation avec le monde extérieur, telle que perçue et interprétée par notre cerveau. Cela amène parfois quelques distorsions qui influencent notre façon de réagir et de vivre l'expérience parce que le cerveau évalue ces ressentis à partir de ses références internes, des émotions et des comparaisons, comme : beau-laid, chaud-froid, agréable-répugnant, etc.

L'éveil des sens du cœur permet de percevoir ce qui est vu, entendu, dit, ressenti, senti, goûté par le ressenti du cœur. Ces sens nous donne des informations à partir de notre source intérieure et de façon neutre émotionnellement.

Les sens du corps sont coordonnés par le cerveau et les sens du cœur sont coordonnés par le cœur. Ils offrent des perspectives différentes de l'expérience de la vie avec un corps physique sur Terre. Ainsi, le sens de la vue décrit l'action du regard vers l'extérieur et la clairvoyance permet de « voir clair » en regardant ce qui est montré par la voie du cœur. Le sens de l'ouie décrit l'action d'entendre les sons de l'extérieur et la clair-audience permet d'écouter ce qui est dit par la voie du cœur. Le sens kinesthésique décrit l'action du contact avec l'extérieur et l'intuition permet de ressentir la guidance du cœur et ce qui est bien et bon pour nous à ce moment de notre vie.

L'accueil des sens du cœur favorise de vivre les événements de la vie comme des expériences, avec détachement et de pouvoir en apprendre les leçons de sagesse. Les activités d'éveil des sens du corps et du cœur nous permettent de ressentir l'Amour présent sous de multiples formes et de discerner les apparences et la réalité. Dans le jeu de l'expérience sensorielle, le défi est d'être centré dans le cœur et d'y rester ! Lorsque la transparence et l'harmonie s'installent avec nos perceptions extérieures et intérieures, nous pouvons alors percevoir le divin présent en toutes personnes et toutes choses, et vivre l'unité.

Les activités amusantes favorisant le ressenti des sons, de la lumière, de la couleur, du mouvement, du contact avec le corps, de la nature, de l'environnement quotidien, ainsi que les perceptions de clairvoyance, de clairaudience, d'intuition et de télépathie, aident beaucoup les enfants à se centrer dans leur cœur et se faire confiance. Cela les aide grandement à apprécier et aimer la vie sur la Terre et par le fait même, les sécurise intérieurement quant à leur pouvoir de ressentir ce qui est bien et bon pour eux.

LE RESSENTI ET L'INTUITION

Le ressenti est le langage de l'âme qui nous parle par notre corps et qui nous dit par le bien-être ou le mal-être ce qui est en harmonie avec nous et ce qui ne l'est pas au moment présent. L'intuition est la sagesse de l'âme qui nous inspire les éclairs de conscience pour l'instant présent ou pour d'autres instants présents à venir.

Les nouveaux enfants qui sont bien enracinés les deux pieds sur la Terre, centrés et alignés, sont plus facilement en contact avec leur ressenti et leur intuition. Ceux qui sont déconnectés et éparpillés ont de la difficulté à se concentrer et écouter leur âme leur parler de ce qui est bien et bon pour eux ici et maintenant.

Nous pouvons rappeler aux enfants que c'est leur sagesse intérieure qui parle lorsqu'ils ressentent de l'Amour, de la paix et de la gratitude dans leur cœur, lorsque leurs pensées sont joyeuses, que leurs paroles disent la vérité et que leurs expériences sont celles de l'action juste et de la douceur. Quand cela est présent, ils sourient spontanément et leurs yeux rient de bon cœur !

Nous pouvons également leur dire qu'il peut arriver que leurs ressentis semblent faux, tordus ou effrayants dans certaines situations. Il est alors important d'utiliser leur discernement pour savoir si ces messages viennent de leur âme et si ce sont des illusions créées par le mental parce que ce qui vient de leur âme éveille toujours le sentiment de l'Amour.

LA CLAIRVOYANCE

La majorité des nouveaux enfants utilisent abondamment leurs capacités de visualisation. Plusieurs enfants indigo en particulier projettent abondamment ces capacités sur un écran à l'extérieur d'eux et nous retrouvons des tout-petits déjà très habiles avec les ordinateurs. En grandissant, ces enfants deviennent souvent des adeptes de l'informatique et des technologies qui utilisent les écrans extérieurs pour exprimer les croquis, scénarios et projets qu'ils veulent matérialiser.

D'autres nouveaux enfants utilisent leurs capacités de visualisation sur un écran intérieur qu'on appelle le troisième œil et qui est situé sur le front entre les deux sourcils. C'est ce qu'on appelle la clairvoyance, c'est-à-dire le don qui leur permet de voir clair au-delà des illusions de la vision terrestre. Selon leurs ouvertures, ils peuvent consulter les bibliothèques des mémoires et images du passé, du présent et du futur. Il arrive souvent qu'ils voient les auras, les Êtres de lumière, les Êtres de noirceur, les âmes errantes, les nuages de négativité, les échanges d'énergie entre les personnes, les Anges et Archanges, les Seigneurs de l'univers et de la Terre, etc. Il arrive aussi à plusieurs de ces enfants d'endormir temporairement leur clairvoyance suite à un épisode où ils ont eu peur de ce qu'ils ont vu ou à un usage disharmonieux de leur don divin. Au moment opportun, les ouvertures se feront de nouveau.

LA VISION DES ENFANTS PSYCHIQUES

Certains nouveaux enfants clairvoyants sont aussi appelés des enfants psychiques. Ils ont une vision intérieure qui ressemble à un écran de télévision central entouré de petits écrans de télévision tout autour. Par chacun de ces écrans, ils sont en contact avec des personnes et des lieux qui sont soit sur la Terre ou dans d'autres parties de l'univers. Par ces écrans, ils peuvent voir les moindres détails des lieux qu'ils visitent, les événements de la vie d'une personne avec sa permission ou avoir une communication qui ressemble à une conférence vidéo.

Par ces écrans, ils peuvent aussi transmettre et recevoir des enseignements et partager leur expérience avec des amis qui évoluent dans d'autres espaces-temps ou d'autres fréquences vibratoires. Il leur arrive régulièrement de converser avec eux par télépathie ou parfois en émettant des sons ou en utilisant une autre langue à l'état d'éveil ou dans leur sommeil.

Ils n'ont pas besoin de leurs yeux physiques pour voir sur ces écrans. D'ailleurs cette vision est beaucoup plus facile dans le noir intense de la nuit ou avec les yeux parfaitement bandés. Quelques enfants psychiques sont humainement aveugles et peuvent pourtant se déplacer et fonctionner aisément dans le monde terrestre grâce à cette vision qui leur montre les vibrations de tout ce qui les entoure. Certains ont cette capacité de vision localisée dans différentes parties de leurs corps, et ils peuvent voir et lire avec leurs mains, leurs oreilles, le bout de leur nez ou une autre région du corps.

Quelques écoles spécialisées pour ces enfants existent au Mexique, en Bulgarie, en Chine, en Russie. Ils y développent davantage leurs dons tout en se créant un réseau d'amis pour agir ensemble pour le plus grand bien de la Terre. L'équipe de recherche de Drunvalo Melchizedek s'intéresse à ces enfants et prépare actuellement des outils documentaires à leur sujet.

Plusieurs enfants psychiques vivant un peu partout dans le monde se rencontrent déjà par télépathie. Par leurs écrans ils se parlent, prient ensemble et unissent leurs forces d'Amour pour éclairer les hommes et la Terre. Ils communiquent par un réseau qui ressemble à une grille énergétique. C'est comme un réseau Internet télépathique plutôt qu'électronique. Les enfants qui y participent disent que la qualité du réseau s'améliore graduellement et qu'il y a de moins en moins d'interférences ou de parasites au fur et à mesure que la conscience globale des gens s'ouvre et qu'il y a plus d'Amour.

Le réseau est accessible à tous en syntonisant la fréquence vibratoire Conscience et Amour inconditionnel. Plus nous sommes en harmonie, plus les contacts s'établissent naturellement et simplement. Puisque les communications sont énergétiques, les messages peuvent être transmis et reçus dans une vibration que chacun peut ensuite nommer avec des mots de sa langue terrestre lorsque cela est nécessaire et utile.

James Twyman est un des porte-parole de ces enfants et il les appelle les Émissaires de l'Amour « Emissary of Love ». Le film « Indigo » réalisé par James Twyman, Neale Donald Walsch et

Stephen Simon présente un exemple de façon d'être et d'impact d'une enfant psychique bien enracinée, centrée et alignée dans l'évolution d'une famille.

LA CLAIRAUDIENCE

D'autres enfants sont en communication avec leur âme ou des Êtres d'autres dimensions par le son et la parole. Ils parlent avec leurs amis invisibles et entendent des voix et des sons qui leur parviennent directement. Certains ont le plaisir d'entendre des musiques angéliques et des concerts de cloches célestes qui résonnent un état de bien-être infini.

Il arrive que certaines personnes fassent l'expérience d'acouphènes c'est-à-dire de cillements d'oreilles lorsqu'ils ne sont pas tout à fait bien syntonisés sur la fréquence sonore d'une autre fréquence vibratoire comme lorsque nous entendons un son qui grinche entre deux postes de radio (attention, seulement certaines formes d'acouphènes sont de cette origine et il y a des sources émotives qui sont parfois impliquées dans plusieurs autres cas) ou simplement parce que c'est leur façon actuelle d'entendre le son de l'énergie qui circule. En rappelant aux enfants d'accueillir ces expériences de clairaudience dans la gratitude en restant bien enracinés les deux pieds sur la Terre, centrés et alignés, ils peuvent utiliser leurs capacités de discernement dans l'Amour pour savoir quels messages et fréquences vibratoires écouter.

LA TÉLÉPATHIE

Plusieurs nouveaux enfants communiquent naturellement par télépathie et « voient » la vérité à l'intérieur des gens. Avant même que nous ayons prononcé un mot, ils ont déjà entendu ce que nous avons pensé dans notre tête. Il est donc inutile de jouer au faux-semblant avec eux car ils ressentent clairement ce qui vient du cœur et ce qui vient des apparences et de la personnalité.

Certains de ces enfants expérimentent des retards de langage ou des difficultés d'élocution parce que, c'est tellement plus simple pour eux d'échanger par télépathie. L'apprentissage du langage leur apparaît initialement comme un effort inutile. En observant bien, nous pouvons souvent réaliser que lorsque ces enfants sont petits, il y a généralement dans leur entourage quelqu'un qui fait la traduction simultanée en disant par exemple « maman, Michael veut ceci ou cela ». Parfois ils répondent directement dans notre tête aux questions que nous nous posons ou ils répondent à voix haute aux questions et commentaires que nous avions formulés en silence dans notre tête.

Bien que la télépathie soit le mode de communication que nous utiliserons à nouveau dans les années à venir, il est opportun de rappeler à ces enfants qu'en ce moment sur la Terre, il est encore nécessaire d'utiliser la vibration des mots parlés pour communiquer les uns avec les autres. Eh oui ! C'est encore comme ça qu'on fait sur la Terre en ce moment !

Les exercices de prononciation en conservant l'attention visuelle sur le mouvement des lèvres favorisent la coordination avec les sons prononcés par le corps physique. Cela leur paraît très long et les impatiente parfois car c'est si rapide avec la télépathie ! Au besoin, un support d'orthophonie ou d'ostéophonie peut apporter une aide précieuse lors de cet apprentissage.

Beaucoup de personnes expérimentent partiellement leurs aptitudes télépathiques sans le savoir. Par exemple, nous pensons à quelqu'un et dans les minutes qui suivent, le téléphone sonne et cette personne nous appelle en disant « je pensais justement à toi »… ou nous avons une bonne pensée pour quelqu'un qui nous confirme par la suite qu'il a senti notre présence et l'énergie positive qui l'a encouragé.

La télépathie tout comme les ouvertures de clairvoyance, clairaudience, ressenti et intuition sont normales et naturelles. Les nouveaux enfants ont simplement des ouvertures plus faciles que d'autres personnes sur la Terre dont les dons sont présents mais endormis.

LES MIRACLES

Les miracles sont naturels. Ils sont la manifestation du pouvoir de l'Amour. Ce sont les changements de perceptions et les créations qui émergent lorsque l'Amour est le chef d'orchestre et le maître d'œuvre de nos pensées, paroles et actions pour créer des chefs-d'œuvre divins.

Plusieurs nouveaux enfants en font et en feront de plus en plus, des petits et des grands aux yeux de l'humanité. Leur intention n'est pas de nous épater, mais plutôt de nous rappeler par l'exemple car chacun peut réaliser les miracles de création de sa vie.

LA CONSCIENCE

LA CONSCIENCE DE L'UNIVERS ET DE LA VIE

Plusieurs nouveaux enfants ont conservé une conscience éveillée de l'univers et de la vie. Petits, ils nous étonnent parfois avec leurs paroles de sagesse ou lorsqu'ils nous parlent de leurs amis d'ici, d'ailleurs sur la Terre, de leurs amis des étoiles. Certains enfants dessinent ou racontent à leur façon les cycles de l'expérience terrestre et peuvent même mettre cela en perspective par rapport à la vie dans d'autres espaces, d'autres dimensions et d'autres univers. Ils nous partagent des recettes d'harmonisation pour les hommes et la Terre, le sens de la vie et le sens de leur vie.

Nous pouvons parler avec eux de ces aventures et leur rappeler que les hommes sont des Anges déguisés qui ont choisi d'oublier qu'ils sont des Anges en mettant des costumes que nous appelons des personnalités. Ils sont comme des acteurs qui jouent des rôles dans une pièce de théâtre ou un film et dont le décor est celui de la Terre ou d'ailleurs dans l'univers. Comme les Anges sont toujours dans un état d'Amour infini et d'unité avec le Tout, ils n'ont pas de référence pour l'apprécier pleinement puisqu'ils ne connaissent rien d'autre. C'est pour cela que certains Anges ont choisi d'oublier temporairement qui Ils sont pour vivre des expériences, se rappeler le pouvoir de l'Amour, leurs potentiels de créateurs divins et qui Ils sont vraiment.

Ces jeux sont parfois associés à l'expression « la chute » qui s'est multipliée de génération en génération. Le processus d'évolution nous permet de nous libérer des illusions, de nous reconnaître et ren-Être avec une nouvelle conscience de ce que nous sommes.

Lorsque nous rencontrons des enfants qui ont quelques difficultés à comprendre les réactions humaines ou que nous avons des difficultés à comprendre les réactions des nouveaux enfants, nous pouvons regarder les choses autrement. Par exemple, pourrions-nous juger qu'un Ange « déchu » ferait tout ce qu'il peut imaginer pour retrouver son état d'harmonie divine et être heureux ? Pourrions-nous juger qu'il ait expérimenté de multiples facettes de la lumière et de la noirceur pour compenser l'illusion d'être séparé de l'Amour dans une quête insatiable de retour à la maison ? Pourrions-nous juger que dans cette quête, il ait expérimenté l'amour du pouvoir afin de se rappeler le pouvoir de l'Amour en unité avec le Tout ? Pourrions-nous juger tant d'autres comportements, expériences et rôles joués pour prendre conscience des infinies possibilités de notre potentiel créateur et en tirer des leçons de sagesse ? Non bien sûr.

Cet exemple apporte simplement une autre vision du cheminement de reconnaissance de Soi et de création de paix et d'harmonie par le don de l'Amour inconditionnel. Si nous étions cet Ange d'Amour inconditionnel qui avait choisi de s'expérimenter, que dirions-nous maintenant à notre personnalité pour régénérer l'unité avec Soi et le Tout ?

Consciemment et inconsciemment, de nombreux enfants savent qu'ils sont des Anges aussi. Ils activent ce processus de conscience autour d'eux en faisant émerger nos réactions de personnalités pour que nous puissions faire de nouveaux choix et être l'Amour que nous sommes vraiment.

LA CONSCIENCE DE CE QU'ILS SONT

Les nouveaux enfants veulent être maîtres de leurs vies. Ils peuvent se réveiller un beau matin et nous dire tout simplement

« Je Suis et je viens de telle planète » en nous racontant leur histoire. Ils peuvent aussi nous dire tout aussi simplement « ma mission sur Terre est… et c'est ça que je suis venu vivre ici ». Lorsque cela se produit, une suggestion est d'écrire les mots qu'ils ont utilisés. Cela nous permettra de mieux les accompagner sur leur chemin et leur rappeler dans certains moments d'oublis.

Les tentatives pour orienter les nouveaux enfants vers d'autres chemins que nous voudrions pour eux plutôt que ceux qu'ils ont choisis créent généralement des relations tendues et beaucoup de résistance. Rappelons-nous qu'ils veulent être maîtres de leur vie et qu'ils veulent choisir eux-mêmes ce qui leur convient. Ils ont la conscience et la certitude en eux qu'ils sont des créateurs et que les possibles sont infinis. Leurs échelles de valeurs sont basées sur l'Amour et ils sont principalement motivés par ce qui est en résonance avec leurs rôles (éclaireurs, enseignants, aidants, génies et instruits, travailleurs pour la Terre) et missions de vie.

Quand ils agissent en « petits rois », il peut être utile de leur rappeler qu'être maître de sa vie veut dire être maître de Soi, de se reconnaître et d'exprimer notre pouvoir créateur pour le plus grand bien en laissant l'Amour décider du chemin pour chacun. Cela est une expérience d'évolution importante pour ces enfants qui ont conservé le souvenir conscient ou inconscient d'être des créateurs capables de manifester instantanément leurs créations. Ils voudraient bien la même chose sur la Terre. Oh quelle surprise ! Sur la Terre, il y a encore des délais entre l'intention et la matérialisation. De plus, ils ont à trouver des voies d'harmonie avec une multitude d'autres créateurs qui ont fait d'autres choix !

Cela leur offre une superbe opportunité de faire grandir leurs forces d'Amour inconditionnel, d'humilité et de respect.

LA CONSCIENCE DE L'AMOUR

Nos perceptions de l'Amour et de la peur sont les commutateurs « ON-OFF » de nos actions. Elles déterminent ce que nous voulons être-faire-avoir, ce que nous pouvons être-faire-avoir, les droits et permissions que nous nous donnons pour être-faire-avoir et ce que nous pensons mériter d'être, de faire et d'avoir. L'ensemble de nos perceptions basées sur l'Amour et la peur est ce qui définit notre expérience de la circulation de l'énergie dans notre vie et de l'équilibre du donner-recevoir.

Lorsque nous expérimentons une dualité entre un désir du cœur et une croyance qui va en sens inverse, nous faisons l'expérience de ce que nous pouvons appeler une croyance de sabotage qui est basée sur la peur de quelque chose. Ce sont simplement des croyances qui représentent les meilleurs choix qui nous ont paru possibles à un certain moment ou dans un contexte particulier de notre vie et qui peuvent être inutiles et inappropriées dans le contexte et le moment présent. Que ce soit dans nos relations avec nous-mêmes, les autres, la Terre ou la vie, les nouveaux enfants semblent avoir un don particulier pour peser sur plusieurs boutons de réaction émotionnelle et nous permettre de prendre conscience de nos programmations internes pour choisir des versions plus harmonieuses basées sur l'Amour. Ces processus amènent parfois des remises en question personnelles et collectives par rapport aux choix et à la motivation réelle de nos pensées, paroles et actions.

LES COMPORTEMENTS ET ATTITUDES

L'ÉNERGIE DES ENFANTS

Plusieurs expressions sont couramment utilisées pour décrire les comportements et attitudes des enfants. Lorsqu'ils sont bien enracinés les deux pieds sur la Terre, centrés et alignés, et qu'ils acceptent leurs choix d'être ici, nous voyons des enfants magnifiquement rayonnants s'épanouir et agir avec des comportements et attitudes équilibrés.

Cependant un certain temps est nécessaire pour plusieurs enfants afin d'apprivoiser et habiter harmonieusement leur corps. Nous disons parfois qu'ils ne sont pas encore tout à fait arrivés sur la Terre et que c'est plus facile pour eux d'être ailleurs. Ils expérimentent souvent ce que plusieurs appellent l'hyperactivité, les difficultés de comportement, d'apprentissage, d'attention, de concentration et les expériences lunatiques et de déconnexion. Ces processus sont regroupés dans le tableau 1.

Tableau 1 Les expériences de comportements et attitudes des enfants				
	Hyperactif Difficultés de comportement	Difficultés d'apprentissage, d'attention et de concentration	Lunatique Déconnecté	Comportements équilibrés
Relation à l'énergie	Explosion	Mélange	Implosion	Enraciné, centré et aligné
Relation au corps	Disharmonie - Manque d'estime, confiance et respect de soi			Harmonie
Relation à la Terre	Résistance - Réaction à un monde qui leur paraît sans intérêt			Harmonie

Il semble inutile de répéter des milliers de fois les mêmes consignes et de vouloir les convaincre par la raison parce que ce sont les perceptions du mental qui ont nourri la peur, la déconnexion et la résistance. C'est préférable de communiquer avec leurs âmes qui ont choisi ces expériences sur la Terre et de parler avec leurs personnalités pour ramener l'harmonie par le don de l'Amour. Cela redevient alors agréable pour eux de résonner et jouer à la vie sur la Terre.

LES COMPORTEMENTS D'HYPERACTIVITÉ

Plusieurs nouveaux enfants semblent avoir une énergie inépuisable et ils s'éparpillent comme s'ils continuaient à remplir un verre qui déborde. Ils accumulent de grandes quantités d'énergie qui ne sont pas encore bien canalisées et l'agitation est leur manifestation extérieure de ces trop pleins. Ils ont parfois des comportements impulsifs et restent difficilement en place plus de quelques instants. Lorsqu'ils se sentent obligés de rester assis ou dans une même position trop longtemps pour eux, (pas pour nous), ils se défoulent du trop plein accumulé dès qu'ils peuvent se lever. Ils trouvent mille et une raisons pour bouger et éparpiller leur attention. Leurs stratégies d'apprentissage sont parfois désordonnées et ils expérimentent des difficultés temporaires pour compléter ce qu'ils commencent et comprendre les leçons de sagesse des expériences qu'ils vivent, alors ils répètent les patterns. Ils parlent et attirent l'attention en dérangeant.

Cette explosion du surplus d'énergie est une soupape temporairement nécessaire pour eux. Nous pourrions faire une analogie avec un réseau électrique où le raccordement des circuits et de la mise à la Terre est incomplet. L'agitation des enfants représente la disjonction des fusibles pour préserver l'intégrité de leur réseau énergétique en attendant que les raccordements soient complétés. Certaines approches naturelles, énergétiques et d'harmonisation des hémisphères du cerveau ont des effets positifs pour plusieurs enfants qui vivent cela.

Comme tous les autres enfants, ils sont des Êtres d'Amour. Ils ont souvent un regard pénétrant et des élans affectueux débordants. Ils ont une créativité impressionnante au point de nous demander parfois où ils vont chercher toutes ces idées et stratagèmes. Au-delà des apparences, ils sont souvent animés par des intentions pures d'expérience de la réalité mais sans avoir la conscience de certaines conséquences que nous trouvons étourdissantes. L'école de la vie est un jeu très actif avec eux et ils passent d'une expérience à l'autre comme si c'était toujours la première fois et que seul cet instant existait. À leur façon, ils nous rappellent de vivre l'instant présent car de toute façon, une minute à la fois, c'est bien assez !

Lorsqu'ils apprennent à bien s'enraciner, se centrer, s'aligner et qu'ils acceptent leur choix d'être ce qu'Ils sont sur la Terre, ils récupèrent graduellement la maîtrise de leur énergie et peuvent alors la canaliser plus harmonieusement.

LES COMPORTEMENTS DIFFICILES

Quelques enfants expérimentent certaines « difficultés de comportement » et d'intégration sociale. Plusieurs comportements ont déjà été décrits en lien avec leur sensibilité et leurs relations à l'autorité. Il leur arrive d'exprimer de façon agressive leurs sentiments de frustration en lien avec l'autorité non démocratique, de réagir de façon irrespectueuse ou de résister au partage non équitable. Cela arrive lorsqu'ils veulent inconsciemment rééquilibrer le pouvoir qu'ils ont l'impression d'avoir laissé à d'autres personnes.

Ces comportements font partie de leurs chemins d'évolution pour ramener l'harmonie dans les dualités et conflits intérieurs, pour trouver leur propre voie du milieu et unifier leurs personnalités avec leur Soi divin. Il est important de trouver des façons de leur rappeler de bien s'enraciner, se centrer, s'aligner et d'accepter leur choix d'être ce qu'Ils sont sur la Terre.

LES COMPORTEMENTS LUNATIQUES ET DÉCONNECTÉS

Avec d'autres enfants, nous avons l'impression qu'ils manquent d'énergie et qu'ils sont déconnectés et lunatiques. Ils ont tendance à être distraits, à agir lentement, à s'inquiéter et se dévaloriser. Ils expérimentent parfois quelques difficultés motrices et des manques de motivation pour s'organiser, apprendre et retenir ce qui ne les intéresse pas. Ils vont du point A au point B en passant par les mille et un détours ou rêveries ou tout ce qui attire leur attention en cours de route, au point souvent d'en oublier complètement la destination originelle. Nous avons l'impression qu'ils vivent dans une bulle, un autre monde réel ou imaginaire. C'est comme s'ils étaient debout face à un robinet qui coule à flot sur la Terre et qu'ils tenaient leurs verres à côté du robinet, préférant s'alimenter et s'évader dans d'autres dimensions.

Alors que les enfants qui ont un comportement hyperactif explosent d'énergie, les enfants qui ont un comportement lunatique ou déconnecté vivent plutôt une implosion d'énergie qui s'accumule en circuit fermé dans leurs bulles personnelles, pour ensuite exploser dans leur monde intérieur. Plus ce monde est idéalisé et enrichi, plus ils s'enferment dans cette réalité et se coupent du monde extérieur qui leur semble de plus en plus insatisfaisant et insécurisant.

Entrer dans leur monde demande de la patience et un accueil inconditionnel de leur expérience car ils vivent parfois un sentiment de confusion intérieure et ne savent plus tout à fait dans quelle dimension du monde ils sont et quels rapports ils y vivent. Les tentatives visant à casser leurs bulles de l'extérieur génèrent plutôt l'accentuation des résistances et de l'isolement. Elles provoquent parfois un effondrement destructeur chez les enfants qui ne savent pas comment être et se sentir en sécurité dans un monde dont ils se sont isolés justement parce qu'ils croyaient se sentir mieux et plus en sécurité ailleurs.

Il est important d'être conscient qu'en les aidant à revenir les deux pieds sur la Terre, il arrive que ces enfants rencontrent ensuite des souvenirs, personnes ou situations semblables à ce dont ils avaient eu peur au point d'avoir choisi inconsciemment de se déconnecter. Cela demande une présence bien centrée et beaucoup de compassion pour les aider à transformer leurs perceptions et retrouver leurs forces intérieures. Il est très intéressant de les inviter à ramener avec discernement dans l'ici et maintenant, les forces et sagesses qu'ils ont apprivoisées et développées dans leurs mondes intérieurs. Ces enfants retrouvent un nouvel équilibre au fur et à mesure qu'ils intègrent les leçons de sagesse de ces expériences et régénèrent leurs propres fondations de sécurité et de confiance, en unité avec le Tout. Patience et Amour !

LES DIFFICULTÉS DE CONCENTRATION ET D'ATTENTION

Certains enfants font l'expérience des difficultés de concentration et d'attention. Ils s'ennuient à l'école ou à la maison à moins d'être motivés par quelque chose qui les intéresse profondément. Ils évitent les expériences susceptibles de les confronter aux critiques des autres et à leurs propres jugements. Ils ont parfois des exigences intérieures de perfection et de performance très sévères et très élevées, pour avoir le sentiment de mériter d'être aimés et de se sentir valorisés. Ils ont parfois tendance à regarder ce qui manque plutôt que ce qui est là, ce qui dissipe davantage leur attention et concentration par crainte de manquer ou d'échouer quelque chose. Ils s'éparpillent dans leurs conversations, leurs façons d'apprendre, de jouer ou de regarder la télévision en changeant continuellement de poste. Les périodes d'attente et d'immobilité représentent un grand défi pour eux. Inconsciemment, ils ont souvent accepté la croyance qu'ils sont un échec et en tentant de se revaloriser, ils jouent souvent au jeu de « qui a raison » plutôt que de choisir d'être en paix. Certains d'entre eux sont des leaders puissants et ils ont à se rappeler qu'en activant cette force de leadership, ils activent également la responsabilité de comment ils s'en servent.

Ces enfants sont souvent très intuitifs et imaginatifs. Au-delà des attentes, ils révèlent des aptitudes et habiletés surprenantes dans certains contextes. Leurs ressentis les guident souvent vers d'autres aspects ou façons d'aborder la réalité où ils sont capables de manifester leurs capacités d'attention, de concentration et d'apprentissage simplement et naturellement. Ils apprennent autrement, par l'expérience et en découvrant ce qui en résulte.

Il est important de se rappeler que toutes ces expériences comme les précédentes, font partie des expériences choisies par l'âme des enfants pour se reconnaître et exprimer librement ce qu'Ils sont. Ces chemins leur permettent d'intégrer des leçons de sagesse importantes. L'accompagnement de compassion les aide sur cette voie lorsqu'ils se sentent aimés inconditionnellement. Nous pouvons leur proposer d'orienter leur attention vers la beauté et les forces présentes en eux et autour d'eux, de demander à leur source divine de recevoir la sagesse proportionnelle à leurs pouvoirs intérieurs.

Ces enfants bénéficient grandement des exercices pour s'enraciner, se centrer, s'aligner, amener leur attention ici et maintenant, et pour harmoniser les deux hémisphères du cerveau. Les approches intuitives et créatives par le mouvement, le son, la couleur et les multiples formes d'expressions artistiques sont efficaces avec eux. Elles apportent un équilibre avec les expériences demandant l'utilisation de leurs habiletés rationnelles et logiques.

LES DIFFICULTÉS D'APPRENTISSAGE

Plusieurs enfants expérimentent des difficultés d'apprentissage associées à l'hyperactivité, le lunatisme, les difficultés de concentration, d'attention ou de comportements. De légères à plus importantes, elles influencent à la fois l'évolution académique et les perceptions de reconnaissance, confiance et estime de soi des enfants. Il est important de dissocier les habiletés de l'enfant et l'image de ce qu'il est : le fait de n'être « pas bon » à l'école signifie simplement qu'il apprend mieux à un rythme différent, qu'il apprend autrement ou que la leçon de sagesse de sa résistance n'a pas encore été comprise. L'enfant est un être d'Amour, peu importe ses résultats scolaires, et il a toutes les forces en lui pour réussir sa vie.

Les approches de certaines écoles qui proposent l'apprentissage par l'expérimentation plutôt que par la théorie sont plus stimulantes et efficaces pour la plupart des nouveaux enfants. Un nombre croissant de parents optent également pour les écoles alternatives ou l'école à la maison, offrant ainsi un accompagnement adapté, personnalisé et souvent plus concret pour les enfants.

Les approches favorisant la reconnaissance, l'épanouissement de leurs dons, forces et talents et la contribution de ce qu'ils sont au service du plus grand bien sont nettement plus efficaces que les approches visant à les faire se conformer à un modèle extérieur ou à recevoir les pressions exercées pour atteindre des résultats fixés de façon uniforme pour tous les enfants. De nouvelles écoles et pédagogie véritablement adaptées à leur réalité sont à créer.

Un bon exemple pour illustrer cela est celui des apprentissages de la petite enfance. Dans cette période, les enfants apprennent à marcher, à manger, à parler, à être « propre », etc. Tous les enfants n'ont pas appris à marcher ou à porter un caleçon le même jour à la même heure, et pourtant vers l'âge de trois ans, tous les enfants se débrouillent avec ces habiletés. Pourquoi faudrait-il que le jour où ils arrivent à l'école, ils oublient soudainement leur intelligence intérieure qui permet l'intégration de chaque expérience au bon moment pour eux ? Pouvons-nous leur faire confiance qu'il en est de même pour leurs habiletés d'apprentissage ? Le développement des habiletés sociales et relationnelles peut respecter ces différents rythmes et proposer des projets d'entraide respectueux pour faire émerger les forces de chacun. Il ne s'agit pas ici de laisser aller l'éducation à la déroute. Il s'agit simplement de réaligner certaines façons de l'aborder pour couler avec la vie plutôt que la forcer.

LES COMPORTEMENTS ÉQUILIBRÉS

Lorsqu'ils sont bien enracinés, centrés et alignés et qu'ils se sont reconnus, les nouveaux enfants sont comme des entonnoirs très ouverts à l'énergie de l'univers. Ils amènent des vibrations élevées dans le monde des vibrations plus denses de la Terre. Ils amènent de la Lumière dans la noirceur et de la légèreté dans la densité. Ils amènent la joie dans les misères et l'Amour pour transmuter la peur. Ils amènent la vie là où il y a l'illusion de la mort. Ils sont « branchés en direct » et l'Amour est leur source d'inspiration. Pour eux tout est possible et la foi est leur force d'action et de matérialisation. Ils sont les Êtres d'Amour qui agissent en éclaireurs, enseignants, aidants, génies et instruits et travailleurs pour la Terre pour créer l'expérience du paradis terrestre.

CONCLUSION DU TOME 1
MESSAGE DES ENFANTS
DE LA TERRE NOUVELLE

« *Les temps d'Amour et de paix vous appellent. L'étang d'Amour et de paix vous invite à vous y bercer et vous y laisser flotter, à vous en imprégner. Vous avez déjà entendu : Le monde sera ce que vous en ferez. Il est temps maintenant de réajuster ce mode de pensée : Le monde est ce que nous en faisons, ici et maintenant, et l'élévation vibratoire à la cinquième dimension va permettre de manifester instantanément les réalités souhaitées et de les expérimenter.*

Les jours d'Amour et de paix sont arrivés. Bien sûr, tous les Êtres de la Terre n'ont pas encore ouvert leur courrier céleste, mais la poste éternelle conserve pour chacun le courrier qui lui est destiné. Vous avez tous déjà vu ces films où une lettre significative arrive plusieurs années plus tard, après avoir été retrouvée miraculeusement. Eh bien, chacun d'entre vous et d'entre nous, nous nous sommes écrit une lettre divine dans notre conscience et fusion avec la Source. Elle est là dans nos vibrations, dans nos mémoires, dans notre Lumière. Pour chacun, elle attend d'être lue et relue au gré de notre résonance d'Amour et d'abandon divin, sur le chemin du retour à la maison.

La Terre en est là où elle est. Vous aussi. Nous aussi. Eux aussi. Partout dans les univers, l'équilibre est et se transforme éternellement. Ayez conscience que la plus infime parcelle de vos pensées, paroles et actions a des répercussions sur l'infinité des mondes. Ayez conscience que l'harmonie ou la disharmonie de vos énergies a des répercussions sur l'infinité des mondes. Ayez conscience que ce que vous êtes a des répercussions sur l'infinité des mondes. Car Vous Êtes en unité avec le Tout. Souvenez-vous.

Le paradis de la Terre Nouvelle que vous préparez est à vos portes. Que tous les enseignements et ouvertures qui vous ont été ici partagés vous rappellent d'écouter la voix de votre cœur, car seul votre cœur connaît la voie du retour à la Source. Que les outils de Lumière mis à votre disposition éclairent ces passages individuels et collectifs en douceur. Rappelez-vous que pour mettre de la Lumière dans une pièce sombre, vous avez sim-plement à mettre l'interrupteur à « ON » et que vous n'avez point d'efforts à faire pour pelleter la noirceur hors de la pièce. Rappelez-vous cette simplicité et légèreté dans votre chemine-ment de création et de « recréation » continue.

Nous, les enfants, sommes très heureux d'Être. Nous, les enfants, sommes très heureux d'être ici avec vous. Nous, les enfants, sommes réjouis des transformations en cours et à venir sur cette Terre magnifique, ce bijou de l'univers, cette perle bleue de la création. Nous, les enfants, vous invitons et vous demandons de nous aider à recréer le paradis sur Terre. Nous, les enfants, vous invitons à changer, à vous reconnaître et à rayonner librement ce que vous êtes. Ouvrez votre esprit à cette réalité et laissez les illusions se dissoudre.

L'Amour est simple. La Vie est simple. L'Amour est Joie. La Vie est Joie. Cela vous appelle-t-il dans vos élans de cœur ? Venez, osez, soyez et partagez qui vous êtes. Osez vous lever debout dans votre réalité d'Êtres divins et utilisez ce que vous êtes pour créer la réalité dont vous êtes l'auteur. Osez vous reconnaître et dire dans l'Amour, par l'Amour et pour l'Amour qui vous êtes. Osez vous reconnaître et agir dans l'Amour, par l'Amour et pour l'Amour pour manifester ce que vous êtes. Osez

*simplement être vous-mêmes et vous déshabiller de ces expé-
riences bénies qui vous ont permis de vous expérimenter et de
vous éveiller à votre force d'Amour inconditionnel.*

*Nous sommes ensemble. Nous, vous et eux. Cela dépend de la
façon dont vous vous regardez. Quand nous sommes votre miroir,
c'est le nous. Quand vous vous regardez dans votre miroir, c'est
le vous. Quand vous regardez le reste de la création dans votre
miroir, c'est eux que vous voyez. Votre miroir vous apporte
toujours les visions du Tout. C'est un petit coquin au sens de
l'humour bien développé car il vous offre l'illusion de regarder
à travers une fenêtre ce qui est le reflet de votre perception de
l'univers. Les milliers de facettes de votre Christ-Al intérieur
sont autant de visages de la vie que vous êtes. Prenez soin de
l'inonder d'Amour et de Lumière et vous y retrouverez ce que
vous avez tant cherché. Soyez prêts à faire la fête et à célébrer la
Vie car vous êtes sur le point de vous reconnaître dans une
nouvelle expérience, dans une dimension retrouvée de votre
réalité.*

*Laissez aller vos attentions d'achèvement et de début ou de
fin des temps. L'éternité c'est pour toujours ! À cette nouvelle
expérience succédera une autre, d'une dimension à l'autre,
d'une expérience d'Amour à une autre, d'une création de Soi à
une autre. Vous êtes éternels et votre fusion à la Source est la
transparence d'Être de l'Amour inconditionnel et infini.*

*Nous, les enfants, sommes ce que nous sommes, avec vous,
ensemble dans l'Unité. Nous, les enfants, vous invitons à vous
rappeler le pouvoir de l'Amour inconditionnel. Nous, les enfants,
vous accompagnons et sommes heureux d'être accompagnés de
vous. Car ensemble nous faisons grandir nos forces d'Amour et
de pure guérison.*

Que les bénédictions divines d'Amour, de Paix, de Joie, de Sagesse, de Conscience, d'Abondance et de Gratitude comblent vos vies éternellement recréées et manifestées en unité avec le Tout. Nous Sommes. Ensemble, Je Suis ».

- 18 décembre 2003

LES ENFANTS DE LA TERRE NOUVELLE

TOME 2

COMMUNICATIONS ET RELATIONS HARMONIEUSES AVEC LES ENFANTS

INTRODUCTION DU TOME 2
MESSAGE DES ENFANTS
DE LA TERRE NOUVELLE

« *Bonjour ! Nous sommes les enfants. L'aube d'un monde nouveau se pointe déjà à l'horizon des cœurs de nombreux Êtres sur cette Terre. Les transformations intérieures sont puissantes, actives et elles laissent de plus en plus de place à votre rayonnement. De tous ces mondes que vous avez parcourus de tant de manières, il vous reste la sagesse et l'Amour en héritage : l'Amour de vous-mêmes, l'Amour des uns et des autres et l'Amour avec un grand A comme vous le dites, celui-là même qui est ce que Vous Êtes.*

Nous les enfants du nouveau monde, et cela nous fait bien rire de nous nommer ainsi car le nouveau monde est simplement une nouvelle expérience du monde où l'Amour a une place de premier plan, nous sommes les artisans d'une nouvelle courtepointe aux couleurs de la paix et de la joie amoureusement cousues les unes aux autres. Les façons de nous parler et d'entrer en lien les uns avec les autres sont ces coutures de respect, de « reste paix ». Les outils et Lumière que vous apportent ces enseignements faciliteront le passage vers le chemin du cœur, là où notre atelier est situé. Notre adresse est simple : 1 rue de l'Unité, département des trois Respirations, ville de l'Abandon, province de l'Abondance, pays du Cœur. Nos maîtres d'œuvre sont qualifiés et certifiés par le grand Conseil.

Cela vous semble amusant comme présentation et c'est tout à fait juste. C'est que nous aimons bien rigoler et ajouter de la légèreté dans nos façons d'être et d'agir ensemble. La vie du cœur est remplie de douceur et d'une abondance éternellement multipliée et c'est dans cet esprit que nous sommes avec vous, que vous êtes avec nous et que nous sommes ensemble car nous sommes Un.

Tout comme vous en avez fait l'expérience, il nous arrive aussi d'oublier un petit peu qui nous sommes sur la Terre et votre collaboration est essentielle et d'une richesse infinie pour nous le rappeler. Ce qui est magique, c'est que cela vous permet de vous rappeler aussi qui vous êtes vraiment. Vous voyez : « donnez et vous recevrez », c'est cela aussi.

Nous serons brefs car vous semblez avoir beaucoup à apprendre ! Prenez cela avec humour car vous savez déjà tout ce que vous allez lire et vous allez simplement vous le rappeler. Installez-vous dans la confiance divine, prenez une bonne respiration et jouissez profondément de l'Amour qui vous enveloppe et vous remplit à chaque instant. Nous sommes heureux de l'équipe que nous formons ensemble. Nous sommes heureux que ces façons de communiquer sur la Terre nous permettent de créer le paradis terrestre dont la réalité se manifeste un peu plus à chaque jour, au rythme de l'Amour qui rayonne de nos cœurs.

Que tous vos sens deviennent les alliés du cœur pour voir, entendre, sentir, goûter, toucher et ressentir l'Amour présent en toutes personnes et toutes choses. Que vos pensées, paroles et actions soient celles de l'Amour. Que votre sourire, regard et corps entier soient animés et remplis par l'Amour. Que votre conscience d'Amour s'éveille davantage à chaque jour. Que votre cœur redevienne votre meilleur guide pour éclairer ce qui est bien et bon pour vous et pour partager harmonieusement ce que vous Êtes. Soyez heureux ! »

- 12 juillet 2004

ÉTABLIR UN BON RAPPORT AVEC LES ENFANTS

Pour communiquer harmonieusement avec les enfants, nous devons d'abord développer un bon contact avec eux pour que ce soit amusant de vivre et de parler ensemble. Les approches et outils de communication qui favorisent l'établissement d'un lien respectueux et constructif avec eux, permettent simplement de raffiner et de préciser les messages de la volonté et l'énergie du cœur.

Certaines attitudes facilitent ces ouvertures vers le partage et la collaboration. Ce chapitre en propose quelques-unes et les chapitres suivants proposeront des outils de langage simples orientés vers les solutions du cœur.

UNE VARIÉTÉ DE MOYENS DE COMMUNICATION

Lors de nos conversations et échanges quotidiens, nous avons des façons variées d'utiliser les mots, les mouvements du corps, l'énergie et le cœur. Plusieurs personnes croient que les enfants devraient agir en fonction de ce qui leur est dit mais l'expérience montre que la réalité est parfois bien différente. Ils entendent beaucoup plus que les mots prononcés et c'est aussi le cas pour tout le monde.

Plusieurs études dans le domaine de la communication ont déjà montré que :

- 7 % de l'impact vient des mots que nous disons ou du contenu de la communication

- 38 % de l'impact vient de notre comportement verbal, c'est-à-dire la façon dont nous disons ce que nous avons à dire (ton de la voix, timbre, rythme, volume)
- 55 % de l'impact vient de notre communication non verbale, c'est-à-dire de tout ce qui est dit par les mouvements du corps, le ressenti des sens et l'énergie que nous dégageons

Cela permet de comprendre l'importance de la cohérence de la communication verbale (7 % + 38 % = 45 %) avec la communication non verbale (55 %). Lorsque les deux sont bien alignés, nous observons une force d'impact remarquable de nos communications et l'émergence naturelle du leadership et de la crédibilité. Par contre, s'il y a une incohérence entre les deux, c'est ce qui est perçu par la communication non verbale qui est perçue comme le vrai message et il y a souvent des conflits d'interprétation entre ce qui est dit, ce qui est reçu et ce qui est attendu.

Avec leur sensibilité et perceptions sensorielles élevées, la majorité des nouveaux enfants ressentent spontanément et souvent très intensément ce qui est dit par le non verbal. Leurs intuitions les guident naturellement vers les personnes intègres et transparentes. Ce ne sont pas nécessairement les personnes qui parlent plus fort, qui s'affirment le plus extérieurement ou qui ont la plus belle image. Ce sont plutôt les personnes dont les enfants ressentent la paix intérieure et un accueil d'Amour inconditionnel à ce qu'ils sont.

Il arrive parfois que leurs résistances à obéir à certaines demandes ou consignes qui semblent raisonnables et énoncées clairement viennent de la combinaison de leurs perceptions verbales et non verbales. Un message de sagesse de ces expériences est de purifier nos intentions véritables pour qu'elles soient cohérentes et basées sur l'Amour plutôt que la peur.

RECONNAÎTRE LE MAÎTRE EN SOI ET EN L'ENFANT

Pour établir une bonne connexion avec les nouveaux enfants et maintenir ce contact, il est important de commencer par établir une bonne connexion avec nous-mêmes. Cela semble simple et pourtant nous l'avons souvent oublié. Cela veut dire d'être bien enracinés les deux pieds sur la Terre, centrés et alignés dans notre cœur, ici et maintenant. C'est ce qui nous permet d'établir un lien de cœur à cœur avec les enfants, en laissant le maître en nous parler avec le maître en chacun d'eux. Plus nous reconnaissons cette sagesse du maître intérieur, plus elle émerge naturellement.

Nous pouvons par exemple imaginer un arc-en-ciel qui relie notre cœur et celui d'un enfant en affirmant notre choix de partager, d'écouter et de parler de cœur à cœur avec lui. Si cela semble nécessaire, nous pouvons aussi l'inviter à s'enraciner, se centrer, s'aligner dans son cœur et à faire un arc-en-ciel avec nous.

Dans cette forme de partage avec un enfant, nous pouvons accueillir :

- Quel est le message de son cœur ?
- Quel est le message de mon cœur ?
- Quels sont les dons, forces et talents de l'enfant ?
- Quels sont les miens ?
- Comment pouvons-nous nous offrir ensemble des opportunités d'épanouissement ?

C'est ce que nous appelons en langage moderne « l'empowerment », c'est-à-dire reconnaître le maître divin en chacun et permettre à chacun de reprendre son pouvoir personnel pour s'épanouir et contribuer au plus grand bien. En entrant dans le monde des nouveaux enfants avec cette attitude de respect mutuel, cela nous permet de comprendre comment ils vivent ce qu'ils vivent et de pouvoir mieux les accompagner.

AJUSTER NOS PERCEPTIONS ENSEMBLE

Nous pouvons aussi nous rappeler que par leurs façons d'être et d'agir, les nouveaux enfants nous invitent à ajuster nos perceptions pour créer ensemble les fondations d'un monde de paix. Évidemment, cela les concerne aussi dans leurs propres évolutions. Dans la relation du maître en Soi au maître en l'enfant, la transformation des perceptions emprunte des voies plus faciles et sereines. La résistance indique simplement que ce rapport n'est pas bien établi.

Voici quelques façons simplifiées de créer et de maintenir un bon rapport avec les nouveaux enfants, en intégrant graduellement les fondations d'actions dont nous avons parlées dans le Tome 1 de cet ouvrage.

- Instant présent : S'enraciner, se centrer et s'aligner ici et maintenant
- Intention : Vivre dans le cœur. Choisir des pensées, paroles et actions justes basées sur l'Amour
- Égalité et unité : Reconnaître le maître en Soi et en l'enfant
- Être et faire : Créer ensemble des opportunités d'exprimer ce que nous sommes

- Abondance: Gratitude, partage, bénédictions, ramener l'harmonie par le don de l'Amour
- Simplicité: La vie est simple. Accueillir et intégrer les leçons de sagesse.

CHOISIR LA TRANSPARENCE ET LA VÉRITÉ

Le langage des nouveaux enfants est spontané et transparent. Puisque plusieurs enfants sont familiers avec l'expérience de la télépathie ou d'un ressenti très développé, ils sont aussi habitués à la transparence et la vérité qui ne peuvent pas être camouflées. Ce que nous pensons et dégageons est entendu en direct et ils entendent aussi bien la fluidité d'un discours intérieur et extérieur cohérent que la discordance lorsque ces discours diffèrent. Par leurs paroles, ils expriment ce qu'ils pensent et souvent, ils osent dire tout haut ce que d'autres personnes pensent tout bas.

Lorsqu'ils expérimentent les jeux de manipulation, ils peuvent contourner ce langage d'intégrité pour obtenir ce qu'ils pensent vouloir, pour compenser un état intérieur décentré ou pour être aimé, accepté, reconnu. Au lieu d'embarquer dans ces jeux de pouvoir avec eux, il est plus utile d'apprendre à écouter nos véritables demandes réciproques pour rééquilibrer la conversation et trouver des solutions respectueuses pour tous. Oser parler des « vraies affaires » et nommer les choses par leur nom est une étape de transparence et de confiance très grande. Oser exprimer « comment je me sens vraiment » et être prêt à entendre et écouter ce que les enfants ont à exprimer en gardant le cœur et l'esprit ouverts, est un cheminement enrichissant pour tous. Les nouveaux enfants le savent et quand ils arrivent à se sentir en confiance, ils osent exprimer sans détour ce qui est vraiment important pour eux et parler avec leur cœur.

D'autres nouveaux enfants choisissent de se taire. Ils sont souvent très sensibles et si leur sentiment de valeur de Soi et de sécurité sont fragiles, ils ressentent parfois une crainte à ébranler les perceptions, méthodes et comportements fondés sur la peur ou en disharmonie avec leur vision d'un monde de paix. Lorsque leurs cheminements les amènent à se reconnaître, s'aimer et se faire confiance, en unité avec le Tout, ils s'affirment alors tout haut et leurs forces de transparence et de vérité deviennent des catalyseurs de changements positifs pour tous.

Nous pouvons illustrer ce changement vers la vérité et la transparence par l'exemple d'un déménagement. Imaginons que nous habitons dans une maison X et que nous choisissons de déménager dans une nouvelle maison Y, plus convenable pour nos nouveaux choix et priorités de vie. La période de transition nous invite à faire le ménage, à lâcher prise sur ce qui ne nous convient plus et à faire de la place pour du nouveau. Alors que cette période est excitante pour plusieurs, elle génère aussi quelques expériences inconfortables pour ceux qui ont de la difficulté à boucler les boucles du connu et avancer vers un nouvel équilibre de vie. D'une certaine manière, cela illustre la transition vers un langage collectif de transparence et de vérité. Alors que pour certaines personnes cela se vit avec enthousiasme, pour d'autres personnes c'est une étape où les références d'équilibres relationnels sont ébranlées et remises en question. Cela amène les gens à réaligner leurs vies, leurs pensées, paroles et actions et à être vrais avec eux-mêmes.

La transparence et la vérité sont incontournables dans le nouveau monde. La reconnaissance de ce que nous sommes et l'éveil de nos dons, forces et talents divins font naturellement évoluer nos moyens de communication. L'usage des mots fera place aux sons du cœur et au langage universel des vibrations d'harmonie. Plusieurs nouveaux enfants le savent intuitivement et certains sont prêts à nous le rappeler par l'exemple ou à vivre avec nous ces cheminements d'éveil individuel et collectif.

UTILISER UN VOCABULAIRE ADAPTÉ

Les nouveaux enfants préfèrent que nous leur parlions comme à des adultes, en utilisant un vocabulaire simple, imagé et vivant. Leur conscience éveillée fait en sorte que même s'ils ont des corps d'enfants, ils se sentent déjà grands en dedans. Ils n'ont pas envie d'être traités en bébés c'est-à-dire que nous décidions à leur place qui ils sont, ce qu'ils ont à dire ou ce qu'ils doivent faire.

Certains enfants expérimentent quelques difficultés de vocabulaire ou de prononciation surtout s'ils ont eu l'habitude de privilégier la télépathie ou qu'ils ont quelques difficultés d'adaptation à leur corps physique. Les attitudes de dénigrement ou d'humiliation ne font que retarder l'apprentissage du langage de ces enfants. Il est préférable de les aider avec patience et Amour et de les laisser faire et dire ce qu'ils sont capables de faire et de dire eux-mêmes. Les jeux et exercices qui les aident à apprivoiser leurs corps, à s'enraciner, se centrer et aligner leurs dons, forces et talents intérieurs, sont d'un grand support.

Nous pouvons également observer que certains nouveaux enfants s'expriment facilement avec un vocabulaire élaboré et une diction très nette. Nous pouvons nous attendre dans les prochaines années à recevoir de plus en plus de messages apportés par les nouveaux enfants sous forme d'écrits, d'expressions artistiques, d'enseignements, de conférences, de chansons…

L'EXPRESSION ET LE LANGAGE VERBAL

Le langage verbal est le langage des mots et des sons que nous partageons. C'est le langage qui passe par la voix. Si elle est bien centrée, la voix juste est en harmonie avec la voie du cœur, c'est-à-dire qu'elle transmet la vibration de l'Amour par nos paroles et nos chants. C'est le langage qui nous permet de nommer les choses et d'exprimer nos ressentis avec des mots.

COMMENT TE SENS-TU ?

Comment te sens-tu ? est une question à poser régulièrement aux nouveaux enfants. Cela leur permet d'apprivoiser le contact du corps, du ressenti de tous leurs sens et des sentiments qui les accompagnent. Le but est de leur offrir des occasions de reprendre leur pouvoir de ressentir ce qui est bien et bon pour eux et de conserver ou rétablir l'harmonie intérieure.

Il arrive souvent que les enfants qui ne sont pas bien enracinés, centrés et alignés se sentent perplexes et incapables de répondre à cette question simple. Ils vont souvent simplement ignorer la question ou répondre par une description, explication ou justification rationnelle de la situation ou encore ils dévient le sujet de la conversation. Nous pouvons leur parler du corps comme d'un temple qui les accueille pour qu'ils puissent agir et rayonner ce qu'Ils sont sur la Terre. Nous pouvons leur parler du grand cadeau qu'ils s'offrent en apprenant à l'écouter et à en prendre soin. L'éveil du ressenti de tous leurs sens contribue aussi à trouver le plaisir dans l'expérience d'être ici et maintenant sur la Terre.

Nous pouvons les aider en leur offrant des opportunités pour :

- Exprimer comment ils se sentent
- Préciser ce dont ils ont vraiment besoin
- Dire ce qu'ils veulent vraiment dire
- Parler d'eux plutôt que de parler des autres
- Discerner ce qui leur appartient et laisser aux autres ce qui leur appartient
- Regarder ce qui est là plutôt que ce qui manque
- Participer à trouver des solutions qui les concernent et les mettre en action.

Plus ils se sentent à l'aise et en sécurité dans leur corps et sur la Terre, plus ils s'expriment facilement et ouvertement. Sur la Terre, tout est question de perceptions.

L'ALIGNEMENT ET LA COHÉRENCE DU LANGAGE

La cohérence, c'est ce qui fait que tout se tient et a du sens dans la voie du cœur. L'alignement, c'est le processus par lequel la cohérence s'installe. C'est le cheminement où le savoir-faire du mental s'aligne dans la direction proposée par le savoir être du cœur.

Dans le langage du mental, le cheminement organise la structure logique des expériences. Dans le langage du cœur, il y a simplement la gratitude, la légèreté et la certitude de couler en harmonie avec la vie.

Nous pourrions imaginer le processus d'alignement du mental et du cœur comme une façon d'assembler les morceaux d'un casse-tête pour avoir une image complète et cohérente. Cela nous amènerait par exemple à ressentir dans notre cœur qui nous sommes, où nous allons et à quoi nous participons, que notre contribution est importante, que nous utilisons nos dons, forces et talents pour le plus grand bien et que nous avons notre place … puis éventuellement à dépasser ces illusions et nous rappeler que nous sommes UN dans l'infinité des mondes.

C'est un chemin d'Être que les nouveaux enfants veulent réaliser eux-mêmes et qu'ils enseignent par l'exemple. Que nous soyons ici ou à l'autre bout de la planète, debout en plein air ou cachés au fond d'une garde-robe, endormis ou éveillés, cela ne change rien à la réalité : nous sommes toujours là où nous sommes. Aussi variés qu'ils soient, nos chemins individuels nous mènent à la même place : Soi. Alors pourquoi tant de malheurs à croire que le bonheur est à l'extérieur de nous ? Il est temps de se réjouir et de s'amuser à être heureux ! C'est quand même impressionnant toute la créativité dont nous faisons preuve pour nous rappeler cela et nous rappeler consciemment que nous sommes des créateurs divins et que notre potentiel est infini.

Ici sur la Terre, nous vivons des expériences de cette reconnaissance de ce que nous sommes et ce cheminement se traduit dans notre langage. Tout comme l'assemblage du casse-tête permet de réunir les morceaux d'une même image, l'alignement du langage permet d'assembler les mots que nous utilisons pour exprimer nos ressentis et ce que nous vivons. Ces mots peuvent être regroupés de façon à décrire notre spiritualité, notre identité, nos croyances et valeurs, nos capacités et compétences, notre comportement et l'environnement dans lequel nous évoluons. Ils décrivent les « où, quand, quoi, comment, pourquoi, qui et quoi d'autre » de notre expérience quotidienne, telle que perçue et organisée par notre mental. C'est ce que nous appelons des niveaux logiques de langage. Dans ce contexte, l'alignement est le processus par lequel le langage devient cohérent. En voici une illustration au tableau 2.

Bien sûr, cela est simplement une des façons possibles d'organiser ou de représenter la structure du langage verbal, quelle que soit la langue choisie. Elle a l'avantage d'offrir une façon de prendre conscience du choix et de l'impact de nos paroles dans la création de notre expérience terrestre et de maîtriser le pouvoir des mots pour communiquer plus harmonieusement avec les enfants.

Quand notre langage verbal et non verbal est bien aligné dans la voie du cœur, nous avons de la facilité à nous engager et à maintenir notre attention vers les choix et directions qui sont motivés par l'Amour. Notre cheminement avance alors en harmonie avec l'univers et la vie. Sinon nous faisons l'expérience des résistances ou des obstacles qui nous indiquent simplement où nous sommes rendus sur le chemin de l'harmonie. Plus nous sommes cohérents, plus cela diminue la tendance à s'éparpiller et à diriger notre attention vers les feux à éteindre, les problèmes à résoudre et les préoccupations motivées par la peur. Être aligné et cohérent induit naturellement un état créatif d'ouverture et de contribution à la vie.

Cette structure des niveaux logiques illustre la portée des transformations et ajustements que nous pouvons faciliter par le langage. Lorsque nous faisons un changement à un niveau, il y a automatiquement un impact sur les niveaux inférieurs, tels qu'énumérés dans le tableau 2, mais si l'inverse est possible, il n'est pas automatique. Le tableau 3 propose l'exemple d'une activité sportive pour mieux illustrer cela.

Tableau 2		
Les niveaux logiques d'alignement du langage		
NIVEAUX LOGIQUES	**QUESTIONS**	**CONTEXTE : RECONNAISSANCE ET RÉALISATION DE SOI**
Spiritualité	Qui d'autre ? Quoi d'autre ?	**Je sais où je vais et à quoi je participe** • C'est une vision de la direction où je vais sur la Terre • Appartenance et sens de l'unité (famille, communauté, pays, univers)
Identité	Qui ?	**Je Suis** • C'est ma mission personnelle, ma raison d'être sur la Terre • Je Suis Amour. Je Suis un créateur divin. Je suis ce que Je Suis. • Je suis Maître de ma vie et je me réalise · Leadership du cœur. Leadership par l'exemple.
Croyances et Valeurs	Pourquoi ?	**Ma contribution est importante** • Ce sont mes permissions d'être moi et d'agir sur la Terre • Les critères de reconnaissance de soi (je reconnais qui je suis) • Les critères d'estime de soi (je reconnais ma valeur) • Les critères de confiance en soi (je crois en moi en unité avec la vie) • Les critères d'incarnation (j'accepte d'être sur la Terre et d'exprimer qui je suis sur la Terre) • Les critères de motivation et d'engagement (ce que je fais a un sens) • Les critères de maîtrise des pensées, paroles, actions, émotions et attitudes (maîtrise de soi) • Les critères de relations avec les autres (valeurs humaines) • Les critères pour évaluer la réalité (perception de la vie)

Tableau 2 (suite) Les niveaux logiques d'alignement du langage		
NIVEAUX LOGIQUES	**QUESTIONS**	**CONTEXTE : RECONNAISSANCE ET RÉALISATION DE SOI**
Capacités et Compétences	Comment ?	**J'utilise mes habiletés, dons et talents au service du plus grand bien** • Ce sont mes façons d'être moi sur la Terre • Savoir être et rester centré et aligné les deux pieds sur la Terre • Savoir créer, agir, découvrir et écouter les leçons de sagesse • Savoir vérifier ce qui est appris et s'orienter vers les solutions • Savoir s'exprimer harmonieusement et partager avec les autres • Savoir choisir et développer des approches, méthodes et outils utiles
Comportement	Quoi ?	**J'agis dans la direction du plus grand bien** • Ce sont les actions que je fais sur la Terre • Les actions et communications dans mon environnement de vie • Les choix, l'implication, la collaboration, la coopération • Les rôles, fonctions, tâches et responsabilités • Les projets et objectifs bien définis
Environnement	Où ? Quand ?	**J'ai ma juste place** • C'est la certitude que j'ai déjà ma place sur la Terre • Le réseau de contacts • Le monde dans lequel je vis (contexte, espace, temps, opportunités)

Tableau 3 **Alignement dans le contexte d'une activité sportive**		
NIVEAUX LOGIQUES	**QUESTIONS**	**CONTEXTE**
Spiritualité	Quoi d'autre ?	Le patinage est un des nombreux **sports d'hiver**
Identité	Qui ?	Je suis un **patineur**
Croyance et Valeurs	Pourquoi ?	J'ai **confiance** et je suis capable de patiner sur la patinoire
Capacité et Compétences	Comment ?	Je sais **comment patiner** sur la patinoire
Comportement	Quoi ?	Je **patine** sur la patinoire
Environnement	Où ? Quand ?	Je vais à la **patinoire**

Imaginons un enfant dans le contexte d'une activité sportive de patinage. Même avec une belle patinoire, de bons patins et un bon instructeur, si l'enfant ne croit pas qu'il est capable de patiner, les apprentissages risquent d'être longs et difficiles. S'il se croit capable de patiner, il apprendra beaucoup plus vite même si les conditions ne sont pas optimales. Dans cet exemple, l'alignement cohérent serait: un enfant qui aime les sports d'hiver (spiritualité) et qui est un patineur (identité), qui croit qu'il est capable (croyance), qui sait comment (compétence), et qui patine (comportement), sur la patinoire (environnement).

L'écoute du choix des mots et de la formulation du langage nous permettent de comprendre comment un enfant vit ce qu'il raconte. Cela apporte une aide précieuse pour faciliter un accompagnement et des approches d'éducation qui lui conviennent.

Comme nous l'avons vu précédemment, les nouveaux enfants ont parfois des peurs ou résistances par rapport à leur relation à eux-mêmes, à la Terre, des impressions d'insécurité, d'abandon, de ne pas pouvoir être ce qu'ils sont ou de ne pas pouvoir dire ce qu'ils ont à dire sur la Terre. Nous comprenons maintenant que cela affecte leurs comportements et le développement de leurs habiletés et compétences. La source réelle de ces disharmonies se trouve souvent aux niveaux des croyances, de l'identité ou de l'appartenance. C'est pour cela que dans ces situations, certaines approches par la médication ou l'autorité non démocratique peuvent contrôler les comportements, sans toutefois apporter une véritable harmonisation pour les enfants. Quand les enfants apprennent à s'enraciner, s'aligner et se centrer dans la voie de leurs cœurs, ils ouvrent des portes de succès et d'harmonie avec eux-mêmes, les autres, la Terre et la vie.

MAÎTRISER LE POUVOIR DES MOTS

Avec la perspective de l'alignement, nous pouvons maintenant comprendre comment nos pensées et paroles contribuent à programmer notre expérience de la réalité. Par leur niveau logique élevé, les affirmations commençant par "Je suis" (niveau de l'identité) sont les plus puissantes pour ce qui concerne la création de notre vie. Plus nous répétons une affirmation formulée avec « je suis… », plus sa force de manifestation est intense.

Par exemple, les personnes qui disent souvent « je suis fatigué » (identité) sont de plus en plus fatiguées. Il serait préférable de dire « en ce moment, je me sens fatigué » (comportement), ce qui est temporaire. Au lieu de dire « je crois que je ne suis pas capable » (croyance), nous pourrions dire « en ce moment, je ne sais pas comment faire cela » (compétence).

La maîtrise du pouvoir des mots est reliée à la conscience et la façon dont nous passons nos « commandes à l'univers ». Pour illustrer cela, prenons l'exemple de la façon dont nous nous y prenons pour passer une commande au restaurant. Imaginons que nous avons envie de manger un sandwich. Si nous sommes assis dans un restaurant en pensant à notre sandwich, aucune assiette ne se présente à nous avec le fameux sandwich désiré… cela changera lorsque nous serons plus habiles avec la télépathie ! Pour l'instant, le serveur vient nous rencontrer, il prend notre commande et va ensuite demander aux cuisiniers de préparer notre sandwich. Nous faisons confiance que le processus est en route et quand il est prêt, le serveur nous amène le sandwich que nous avons commandé. Si nous répétons notre commande continuellement au serveur, nous ne lui laissons pas le temps d'aller la transmettre aux cuisiniers et nous restons sur notre faim. Si nous changeons d'idée à toutes les minutes, il y a de la confusion car les cuisiniers ne savent pas quoi préparer et finalement nous ne recevons rien à manger.

Eh bien c'est la même chose avec nos commandes à l'univers. Lorsque nous faisons une demande dans notre cœur, notre Être divin la transmet aux « Anges cuisiniers » pour nous amener ce que nous avons demandé quand cela sera le moment juste et que nous serons prêts à le recevoir ! C'est pour ça que le choix des mots que nous utilisons est important et cette maîtrise fait partie de notre responsabilité de créateurs divins conscients. Les personnes qui utilisent des expressions tellle « c'est l'enfer » se créent une expérience qui est un enfer pour eux. Il est préférable d'exprimer ce que nous souhaitons vraiment pour en créer la réalité. C'est le sens de demandez et vous recevrez.

Les personnes qui répètent souvent « je veux ceci ou cela… » vivent l'expérience du manque puisque si elles veulent toujours quelque chose, c'est qu'elles croient que ce n'est pas là. Il serait préférable de dire « je choisis ceci ou cela…merci » ou « merci pour tout ce qui est bien et bon pour moi », ce qui crée l'expérience de ce qui est choisi avec le cœur, au bon moment. Alors nous pouvons comprendre que la meilleure façon de matérialiser ce que nous choisissons n'est pas de le demander des millions de fois mais de remercier que cela soit déjà accompli.

Par exemple, les parents et enseignants pourraient remplacer les commentaires répétitifs comme « je veux que les enfants obéissent… se calment… cessent de questionner, etc. » par l'intention du cœur qui dit « merci pour la collaboration des enfants… merci pour le calme divin de Mathieu… merci pour le baume d'apaisement du mental de Sophie, etc. ». Si nous nous appliquions à remercier aussi souvent et avec autant de cœur que tous les « je veux… » que nous avons pu dire et entendre au sujet des enfants, de belles magies prendraient forme devant nos yeux. Cette attitude éveille en nous la confiance totale que c'est déjà accordé et que cela va se manifester au bon moment, généralement lorsque nous lâchons prise. Il est important de réaliser dans ces exemples, que l'état initial de résistance et de contrôle est transformé en un état de gratitude et de maîtrise de soi. Ces apprentissages et leçons de sagesse ont toujours leur portée lorsque « l'élève et le professeur » sont prêts, et nous ne spécifions pas ici des adultes et des enfants qui sont les élèves et les professeurs !

Par l'exemple et l'enseignement, nous pouvons accompagner les enfants à s'exprimer plus clairement, à acquérir la maîtrise de leurs paroles et de leurs pouvoirs créateurs.

DONNER DES CONSIGNES À LA PORTÉE DES ENFANTS

« Ne pensez pas à une auto rouge ». Que nous vient-il alors à l'esprit spontanément ? Pour la majorité des gens, la première idée est une auto rouge, une auto ou la couleur rouge. Et pourtant c'est ce qui était interdit ! Cette phrase classique démontre le mode de fonctionnement de l'inconscient qui prend toutes les informations en mode absolu, c'est-à-dire que pour lui la négation et les « ne pas » sont inexistants. Pour interdire quelque chose, il faut que ce quelque chose existe déjà sinon c'est un non-sens pour le mental.

Alors dans l'exemple précédent, l'inconscient a entendu « pensez à une auto rouge ». C'est facile de faire le parallèle avec l'accompagnement et l'éducation des enfants. Il suffit de dire « ne touche pas à ceci » ou « ne fait pas cela » pour que le compte à rebours soit commencé et que la majorité des enfants touchent ou fassent ce qui est interdit. L'inconscient des enfants a entendu « touche ceci » ou « fait cela » et ils ont obéi. Quelle frustration pour eux lorsqu'ils vivent ensuite les conséquences de ces expériences ou reçoivent des punitions.

L'abondance des consignes formulées de façon négative génère des états disharmonieux et des frustrations pour tous. Par la répétition de ce pattern, plusieurs enfants en viennent à endormir leur confiance et leur esprit vivant parce qu'ils savent tout ce qui est interdit, mais ne savent plus ce qui est permis favorisant l'émerveillement et l'éveil de la vie sur la Terre.

Il est préférable de donner des consignes simples, claires et positives, c'est-à-dire indiquer ce qui est permis ou possible. Cela garde l'esprit des nouveaux enfants en état d'ouverture, d'appréciation et de maîtrise de leur pouvoir de choisir, ce qui est fondamental pour eux. Lorsque certaines choses sont interdites pour des raisons de sécurité par exemple, il est approprié de partager la conscience des conséquences et de faire suivre la consigne par ce qui est permis.

Par exemple, « il est interdit de toucher au foyer parce que c'est brûlant. Si tu veux, tu peux t'asseoir à partir d'ici », ce qui laisse quand même un choix de l'endroit où il va s'asseoir. Si nous voulons profiter de cette expérience pour explorer tous les sens, nous pourrions dire par exemple : « Si tu veux sentir la chaleur confortablement (ressenti), tu peux t'asseoir à partir d'ici (sécurité). Tu vas voir (vue) encore mieux les flammes danser dans le foyer et c'est plus facile (kinesthésique) d'écouter (ouïe) le crépitement du feu. Tu pourras aussi sentir (odorat) l'odeur du bois qui brûle. » Comme ça, si quelque chose d'agréable et désirable pour l'enfant est connecté avec le ressenti de un ou plusieurs de ses sens, cette consigne va lui sembler un bon choix. Cela implique bien sûr d'utiliser des mots adaptés à l'enfant et d'être réceptif à ce qui est important pour lui quand il cherchait à s'approcher du feu… en laissant de la place pour des choix.

La quantité de consignes

Nous pouvons nous rappeler le conte chinois où un père va consulter le grand sage du village pour lui demander de l'aide avec son fils qui ne l'écoute pas. Le sage lui demande quelle quantité de riz il va manger dans toute sa vie. Étonné, le père répond qu'il ne sait pas exactement, que c'est peut-être une ou deux tonnes. Le sage lui demande alors pourquoi il ne mange pas tout ce riz dans la même semaine et comme ça il serait libre pour le restant de sa vie. Le père lui répond que c'est impossible pour lui de manger et de digérer tout ce riz en si peu de temps et qu'une si grande quantité le rendrait malade. Le sage lui demande alors comment il s'y prend pour manger tout ce riz dans sa vie. Le père répond qu'il en mange simplement un bol par jour à tous les jours. Eh bien, lui répond le sage, peut-être pourrais-tu faire la même chose avec tout ce que tu demandes à ton fils !

La leçon de sagesse tirée de ce conte permettrait aux accompagnateurs de lâcher prise sur certaines attentes et d'ajuster la quantité de consignes. Ainsi, nos scénarios quotidiens ressembleraient moins à une longue liste de directives et d'interdits justifiés par un rationnel adulte. Le respect du rythme d'apprentissage faciliterait l'intégration des consignes, tout en leur permettant de vivre leur expérience d'enfants.

Les consignes pour l'ici et maintenant

L'expérience de l'impatience humaine amène parfois à vouloir que toutes les consignes aient une portée immédiate. Certains apprentissages requièrent un temps d'intégration pour que les habitudes se transforment. Une façon d'induire plus facilement ce passage est de dire au passé ce que l'on choisit de terminer et de dire au présent ce que l'on accueille. Par exemple : « Avant je m'énervais quand les enfants me répondaient brusquement. Maintenant je suis de plus en plus calme et je dis avec respect ce qui est important. Je m'aime et me respecte en premier. » La partie « avant...» s'efface graduellement au fur et à mesure que l'affirmation du présent s'intègre.

Les consignes dirigées

Le choix des mots et les qualités de la voix comme le rythme, la tonalité et l'intensité, ont un impact significatif sur la façon dont les messages sont transmis et reçus. Selon l'effet souhaité, nous pouvons par exemple mettre l'emphase sur des mots différents tel que proposé aux tableaux 4 et 5 qui suivent. Faites l'expérience en lisant à voix haute les phrases écrites pour inviter un enfant à faire un choix, en mettant l'accent sur ce qui est écrit en caractère gras et en expérimentant différentes façons de les dire.

C'est intéressant de refaire cette expérience à quelques reprises et même de la pratiquer avec d'autres personnes en jouant alternativement le rôle de celui qui invite et celui qui reçoit l'invitation à faire un choix. En prenant conscience de l'impact produit par ces différentes façons d'exprimer les consignes, il est

Tableau 4 Alignement des consignes pour inviter un enfant à faire un choix		
NIVEAUX LOGIQUES	**QUESTIONS**	**INVITER UN ENFANT À FAIRE UN CHOIX**
Identité	Qui ?	Fais-toi confiance. C'est **toi** qui choisis ce qui te convient maintenant
Croyance et Valeurs	Pourquoi ?	Fais-toi **confiance**. C'est toi qui choisis ce qui te convient maintenant
Capacité et Compétences	Comment ?	Fais-toi confiance. C'est toi qui choisis **ce qui te convient** maintenant
Comportement	Quoi ?	Fais-toi confiance. C'est toi qui **choisis** ce qui te convient maintenant
Environnement	Où ? Quand ?	Fais-toi confiance. C'est toi qui choisis ce qui te convient **maintenant**

Tableau 5 Alignement des consignes reformulées pour inviter un enfant à faire un choix		
NIVEAUX LOGIQUES	**QUESTIONS**	**INVITER UN ENFANT À FAIRE UN CHOIX**
Identité	Qui ?	C'est **toi** qui choisis ce qui te convient maintenant
Croyance et Valeurs	Pourquoi ?	Tu peux te faire **confiance**. Choisis ce qui te convient maintenant
Capacité et Compétences	Comment ?	Tu peux choisir **ce qui te convient** maintenant
Comportement	Quoi ?	Qu'est-ce que tu **choisis** maintenant ?
Environnement	Où ? Quand ?	Quel est ton choix **maintenant** ?

alors plus facile de transposer cette expérience dans notre relation avec les enfants et les laisser expérimenter à leur tour la portée de leurs façons de dire ce qu'ils ont à dire.

Les consignes face au dépassement

Quand trop c'est trop et que nous ne savons plus où aller, il est temps de respirer et prendre un recul. Nous pouvons demander une solution divine à cette situation humaine, et remercier que cette réponse soit déjà en route vers nous. Nous pouvons alors continuer dans le mouvement de la vie en restant à l'écoute des changements de perceptions et des nouvelles idées qui nous seront inspirés au moment opportun.

POSER DE BONNES QUESTIONS POUR AVOIR DE BONNES RÉPONSES

Poser des questions aux enfants nous amène parfois à entendre de véritables romans d'aventures avant de recevoir une réponse simple, claire et précise.

Dans ces situations, les questions formulées avec « qui » (identité) et « pourquoi » (croyances et valeurs) éveillent souvent les réponses de type « c'est lui…pas moi…» ou « parce que… », qui sont des mécanismes de réponse basés sur la peur de quelque chose, la défensive et la fermeture. Les questions formulées avec les « comment » (capacité), « qu'est-ce que… », « qu'est-ce qui… » ou « en quoi le fait de… » (comportement) sont plus efficaces pour faire émerger l'information qui manque ou clarifier une perception tordue ou généralisée. Lorsque ces questions sont posées avec Amour et respect, elles suscitent plus facilement les réponses qui permettent d'avancer vers les solutions et un climat sécurisant avec les enfants qui ne se sentent pas attaqués dans ce qu'ils sont.

Les questions « comment », « qu'est-ce… », « en quoi… », orientent les réponses vers des actions et des façons de faire dans lesquelles les enfants peuvent s'engager et participer plus facilement. Nous allons maintenant voir comment choisir et utiliser adéquatement ces questions avec les enfants.

Nous pouvons en profiter pour rappeler aux enfants que leur valeur vient de ce qu'ils sont, qu'ils sont aimés inconditionnellement et que notre choix est d'être en paix (impact aux niveaux des croyances et valeurs, de l'identité et de l'appartenance).

Savoir quelle question utiliser

À la base de notre cerveau, il y a une région où les communications sont analysées par trois filtres spécialisés pour le traitement de l'information. Il s'agit des filtres de sélection, de distorsion et de généralisation. Leur rôle est de maintenir la cohérence de ce que nous vivons avec nos croyances et valeurs dans certains contextes. Voici une description du mode d'action de chacun de ces filtres.

Le filtre de sélection

Le rôle du filtre de sélection est de nous permettre de choisir ce qui est bien et bon pour nous dans notre vie. Sans sélection, nous ferions face à tellement d'informations que nous nous sentirions envahis et dépassés continuellement par tout ce que nous pouvons voir, entendre, sentir, goûter, ressentir et avoir l'intuition à chaque instant. Ce filtre est donc relié avec notre aptitude à nous concentrer et à mettre notre attention dans une direction choisie. Grâce à cette faculté, nous pouvons nous orienter dans le monde et trouver des solutions en sélectionnant ce qui est utile.

Le même processus peut représenter une limite si nous mettons de côté certains aspects de notre expérience dont il serait préférable de prendre conscience. Pour maintenir notre cohérence interne, le filtre de sélection nous empêche d'absorber les informations contraires à nos croyances et valeurs. C'est ce qui est à l'origine des expressions comme « il n'y a pas plus aveugle que celui qui ne veut pas voir » ou « il n'y a pas plus sourd que celui qui ne veut pas entendre ».

Le filtre de distorsion

Le rôle du filtre de distorsion est de nous permettre de créer une nouvelle réalité à partir de ce qui est là de façon concrète et en potentiel. C'est le processus qui nous permet de changer notre expérience de la vie. La distorsion nous permet de planifier, construire et envisager un nouveau projet comme la Terre Nouvelle, de créer du neuf avec de l'ancien et de trouver des solutions nouvelles à une situation actuelle. Les inventions et découvertes sont le fruit de la distorsion et de l'extrapolation de nos perceptions.

Il arrive aussi que pour maintenir notre cohérence interne avec certaines croyances et valeurs, le cerveau structure, interprète et transforme l'information qu'il reçoit en dirigeant notre attention vers un sens qui nous paraît prioritaire. Dû à des raisonnements parfois erronés, la distorsion amène à tirer des conclusions inexactes selon le contexte, le moment et les références. C'est ce qui arrive lorsque nous construisons des perceptions de négativité à propos de la réalité, comme le font les personnes qui ont tendance à prendre une critique de leur comportement pour un rejet de leur personnalité ou par les déformations que nous avons tous expérimentées avec le « jeu du téléphone ». Une des distorsions la plus courante est de croire que les autres perçoivent le monde comme nous et qu'ils partagent nos pensées, valeurs et conclusions à propos de la vie.

Le filtre de généralisation

Le rôle du filtre de généralisation est de nous permettre d'apprendre et d'intégrer les leçons de sagesse de nos expériences. Sans cela, nous serions obligés de réapprendre comment ouvrir une porte à chaque fois que nous sommes en présence d'une nouvelle porte. La généralisation nous permet d'utiliser les images, sons, sensations, odeurs, goûts et les ressentis que nous avons déjà expérimentés pour faire évoluer nos relations avec les objets, les personnes, la nature, la vie et les situations que nous vivons aujourd'hui. Elle est reliée à notre aptitude à passer d'une vision des détails à une vision globale et à élargir nos visions et perceptions de la réalité.

Par contre, c'est également le processus qui nous amène à reproduire les mêmes comportements sans tenir compte de l'évolution des contextes. Lorsque nous généralisons une mauvaise expérience, nous lui donnons une dimension pour toute la vie. C'est ce qui est à l'origine des préjugés, du racisme, du sexisme, des discriminations de toutes sortes et des phobies.

L'impact des filtres du langage

Selon que nos programmations de croyances et de valeurs sont basées sur l'Amour ou la peur, les résultats et impacts de

Tableau 6 Impact des filtres du langage		
FILTRES	**ACTIONS BASÉES SUR L'AMOUR**	**ACTIONS BASÉES SUR LA PEUR**
Sélection	Capacité de choisir, mettre des priorités	Limites, mécanismes de défense
Distorsion	Capacité de créer, inventer, évoluer	Vision tordue de la réalité, négativité, illusions
Généralisation	Capacité d'apprendre, élargir la vision	Racisme, sexisme, discrimination, préjugé

l'action de ces filtres sont très différents. Le tableau 6 en fait un bref résumé.

Lorsque nos intentions et celles des enfants sont basées sur l'Amour, les communications sont généralement simples, claires et précises. Nous faisons l'expérience des choix, de la création et des apprentissages de sagesse.

La conscience des filtres du langage permet d'observer que les conversations courantes de plusieurs personnes sont truffées de déformations issues des peurs conscientes et inconscientes. Lorsque nous réalisons que cela est le cas pour nous ou les enfants, nous avons avantage à réaligner nos pensées, paroles et actions vers des bases d'Amour.

Dans ces situations, certaines façons de formuler nos questions peuvent faciliter l'émergence de réponses constructives orientées vers les solutions. Le but premier est de créer des ouvertures qui permettent d'avancer ensemble de façon respectueuse pour tous. Il est sage d'utiliser ces outils avec beaucoup de discernement et seulement pour ce qui est vraiment important. C'est un conseil pour conserver une bonne relation avec ses amis et les enfants.

Les tableaux 7 et 8 proposent des questions types permettant de clarifier l'information traitée par les trois filtres et le but recherché par ces façons de poser les questions.

Le tableau 8, quant à lui, offre quelques exemples concrets de commentaires que nous pouvons entendre de la part des enfants ou des adultes, ainsi que des questions ouvertes pour faire évoluer ces conversations avec respect et susciter l'émergence des forces et des solutions.

Tableau 7 Filtres du langage et questions de clarification		
FAÇONS DE RECONNAÎTRE S'IL Y A UNE PEUR PRÉSENTE	**BUT DES QUESTIONS**	**EXEMPLES DE QUESTIONS**
La sélection... le but des questions est de clarifier ce qui manque		
• Information incomplète • Référence vague • Comparaison • Doute	• Clarifier ce qui manque • Compléter l'information • Trouver le standard • Préciser	• .. à propos de quoi/qui ? • Qu'est-ce que/qui... précisément ? • Mieux, pire... que quoi ? ... que qui ? • Comment... plus précisément ?
La distorsion...le but des questions est de clarifier le raisonnement		
• Liens causes-effets • Un décide pour l'autre • Liens d'équivalence • Présupposition	• Dissocier X cause Y • Enlever l'interprétation • Dissocier X = Y • Éclairer avec neutralité	• En quoi X... cause Y ? • Comment sais-tu...? • En quoi ...X... = ...Y...? • Qu'est-ce que/qui ...?
La généralisation... le but des questions est de clarifier la justesse		
• Nominalisation • Exagération • Règles et obligations • Origine inconnue	• Remettre en action • Offrir un contre-exemple • Voir cause/résultat /impact • Rappeler l'origine réelle	• ... (verbe)...? • Jamais ? Toujours ? Personne ? • Qu'est-ce qui empêche /arriverait si...? • Qui a dit ça ? D'après qui ? Contexte ?

DONNER ET RECEVOIR DU FEEDBACK

Le mot « feed–back » veut dire nourrir en retour. C'est une façon d'offrir une appréciation ou un suivi par rapport à un apprentissage, une expérience ou une rencontre, et de favoriser les ajustements en cours de route. Il est préférable que cela soit simple, concis, positif et que l'enfant sache clairement si ce feedback s'adresse à lui en temps que personne ou à un rôle qu'il joue dans une activité, une équipe ou un projet. Avec une attitude de cœur à cœur, les gens acceptent souvent de voir et d'entendre des choses qui semblent difficiles à voir et entendre, alors qu'une attitude négative ou irrespectueuse peut discréditer un compliment ou la personne qui le dit.

Une clé de sagesse et de crédibilité pour donner un feedback aux enfants est de nous placer « dans leurs souliers », puis de prendre du recul et demander l'avis à notre grand sage intérieur. Ensuite nous pouvons revenir « dans nos souliers » avec notre vision, celle des enfants et du sage, et choisir comment agir.

Dans le contexte du feedback à un enfant au sujet de ses apprentissages scolaires, nous pouvons par exemple imaginer être dans sa peau et vérifier l'impact de ce que nous voulons lui dire sur la reconnaissance de ses forces, dons et talents et le développement de ses capacités pour l'apprentissage visé. S'il s'agissait de nous, quelle serait notre préférence pour recevoir ce feedback ? Les enfants sont-ils des machines à performer et à entendre tout ce qu'ils ont raté ou des Êtres d'Amour qui font ce qui leur parait possible à ce moment là et qui ont le potentiel d'apprendre de leurs expériences et de faire grandir leurs forces ? Comment le maître en nous peut-il faire émerger le maître en l'enfant ? Nos réponses à ces questions contribuent à définir la

Tableau 8 **Filtres du langage et exemples de questions de clarification**	
SÉLECTION	**QUESTIONS TYPE POUR CLARIFIER CE QUI MANQUE**
J'ai faim	Qu'est-ce que tu veux manger ?
Je ne suis pas capable	Tu ne te sens pas capable de quoi ? De quoi pourrais-tu être capable ? Qu'est-ce qui permettrait cela ?
Peux-tu m'aider ?	À propos de quoi ? Quelle sorte d'aide veux-tu ?
C'est pas important	Qu'est-ce qui n'est pas important précisément ? Qu'est-ce qui est vraiment important ?
Le système d'éducation a besoin d'être amélioré	Qu'est-ce qui a besoin d'être amélioré précisément ? De quelle façon ?
Il est meilleur que moi	Dans quel domaine est-il habile ? De quelle façon aimerais-tu te sentir meilleur ?
Je vais le faire	Comment vas-tu t'y prendre ? ...pour faire quoi ?
DISTORSION	**QUESTIONS TYPE POUR CLARIFIER LE RAISONNEMENT**
Il me fait peur	Qu'est-ce qui te fait peur ? Quelle force peux-tu y trouver ? Le rôle de la peur est de faire grandir ta force d'Amour !
Je ne peux pas le dire, il me regarde	En quoi le fait qu'il te regarde t'empêche de parler ? As-tu déjà regardé quelqu'un en lui parlant ?
Je sais ce qu'il veut	Comment sais-tu ce qu'il veut ? Tu peux vérifier avec lui si ton impression est juste
Il ne m'aimera pas si je suis moi-même	Comment sais-tu cela ? Est-ce que c'est plus important qu'il t'aime ou que toi tu t'aimes ? Comment pourrais-tu être toi-même, dans l'Amour ?

Tableau 8 (suite) Filtres du langage et exemples de questions de clarification	
DISTORSION (SUITE)	**QUESTIONS TYPE POUR CLARIFIER LE RAISONNEMENT (SUITE)**
Quand il me parle, on se dispute	Est-ce que tu préfères avoir raison ou être en paix ? Qu'est-ce que tu peux faire pour être en paix ?
J'ai raté l'exercice. Je suis pourri	En quoi le fait de rater un exercice te rend pourri ? L'exercice était une expérience. Toi tu es un Être merveilleux. Qu'est-ce que cette expérience t'apprend ?
S'il savait que ça me fait de la peine, il n'aurait pas dit cela	Qu'est-ce qui te fait de la peine ? Quelle est la leçon de sagesse ?
GÉNÉRALISATION	**QUESTIONS TYPE POUR CLARIFIER LA JUSTESSE**
Le respect est important en classe	Qui veux respecter qui ? Ça veut dire quoi le respect pour chaque personne ?
La décision revient au système scolaire	Qui va décider quoi ? …à propos de quoi/qui ?
L'école c'est ennuyant	Qu'est-ce que tu n'aimes pas précisément à l'école ? Qu'est-ce que tu aimes à l'école ?
Il ne m'écoute jamais	Jamais ? Qu'est-ce qui arriverait s'il t'écoutait ? Qui d'autre t'écoute ? Qui pourrait t'écouter à ce sujet ?
C'est toujours la même chose	Toujours ? Pas une seule fois où c'était un petit peu différent ?
Personne ne m'aime	Personne ? Qui pourrait t'aimer juste un tout petit peu ?
…pas le choix… il faut… je suis obligé…	Qu'est-ce qui t'oblige ? Qu'est-ce qui arriverait si tu le choisissais ?
C'est comme ça que ça se fait	C'est intéressant. Comment cela pourrait-il se faire autrement ?

Terre Nouvelle que nous créons par nos choix et engagements du cœur avec les enfants.

SE PERMETTRE DE VOIR LES CHOSES AUTREMENT

Il peut être très utile et constructif de changer notre perception de certaines expériences que nous vivons ou de leur trouver un nouveau sens. Ces ajustements nous permettent souvent de voir les choses autrement et d'en faire émerger l'essentiel.

Par exemple, nous pouvons imaginer une toile peinte par un artiste que nous voulons encadrer. En allant dans une boutique spécialisée, nous pouvons choisir au travers d'une variété de combinaisons de moulures et de passe-partout offerts en plusieurs couleurs. Il est très facile de voir que le fait de changer le cadre autour de la toile en change complètement l'impact. Il est aussi intéressant d'observer que lorsqu'un encadrement prend trop de place, notre attention est portée vers celui-ci et la toile semble s'effacer au lieu d'être mise en valeur dès le premier regard.

Dans les relations avec les enfants, c'est la même chose. Lorsque l'attention première est portée sur l'encadrement, nous pouvons manifester de la rigidité et croire que les principes et procédures deviennent plus importants que les enfants et la vie elle-même. L'encadrement des enfants a pour but de créer des opportunités propices à l'émergence de leurs dons, forces et talents et de les accompagner dans les chemins de reconnaissance, de confiance, d'estime et de respect d'eux-mêmes, des autres, de la Terre et la vie, en unité avec le Tout.

Dans les interactions quotidiennes avec les enfants, nous pouvons aussi trouver un nouveau sens à certains comportements et attitudes. Cela permet de transformer une perception négative en faisant émerger l'intention positive et les cadeaux d'apprentissages cachés derrière ces expériences. Le tableau 9 permet de voir autrement de certains comportements et attitudes d'enfants.

Tableau 9 Voir les choses autrement	
PERCEPTION ORIGINALE	**EXEMPLES DE NOUVELLES PERCEPTIONS**
Il interrompt	Il veut dire quelque chose d'important pour lui
Il est intolérant	Il se respecte en premier… il est en train d'apprendre l'Amour inconditionnel
Il dit ce qu'il pense	Il est transparent et vrai
Il est hyperactif	Il est plein d'énergie et peut apprendre à la maîtriser
Il est déconcentré	Il peut apprendre à mieux s'enraciner et se centrer. Qu'est-ce qui l'intéresse ?
Il manipule	Il fait l'expérience du pouvoir pour se rappeler le pouvoir d'être maître de soi
Il résiste à l'autorité	Il veut choisir lui-même, il accepte l'autorité démocratique
Il refuse les consignes	Il accepte ce qui est initié par l'Amour et reflète ce qui est initié par la peur
Il est méchant	Il a une bonne intention, mais il l'exprime d'une façon disharmonieuse
Il fait le clown en classe	Il veut attirer l'attention… ou remettre du plaisir dans ce qui est trop sérieux

Nous pouvons également changer nos perceptions pour trouver un contexte dans lequel un comportement serait plus utile et approprié. Par exemple cela peut être irrespectueux de croquer une pomme pendant une période de détente et être approprié au moment de la collation. L'idée derrière ces changements de perceptions n'est pas de rendre acceptable ce qui ne l'est pas. L'idée est simplement de se permettre de regarder les choses autrement, d'y découvrir les forces et messages cachés et de choisir des moyens respectueux pour avancer. La voie du cœur est toujours la voie du cœur. L'amour est toujours l'amour et le respect est toujours le respect.

TRANSFORMER LES PERCEPTIONS TORDUES

Nous avons tous déjà vu un de ces films ou bandes dessinées où un personnage rempli de bonté et de pureté de cœur trouve la façon de retirer une épine empoisonnée qui était logée dans le cœur d'une sorcière ou d'un gros monstre. Par ces transformations et le don d'un baiser, nous avons vu émerger les princes et les princesses qui étaient prisonniers d'un mauvais sort.

Le but des changements de perceptions est de regarder avec les yeux de l'Amour les façons de retirer les épines empoisonnées de nos personnalités et de celles des enfants, et de laisser émerger les Êtres d'Amour que nous sommes. Ces épines empoisonnées sont souvent reliées à des perceptions limitées, tordues ou généralisées, et il y a souvent un réseau de croyances qui y sont rattachées. Très souvent, la croyance qui limite est inconsciente et elle est formulée avec un lien de cause à effet (X cause Y) ou une équivalence (X = Y). Lorsque nous pouvons déceler cela dans le langage ou les expériences répétitives des enfants, nous pouvons leur proposer une nouvelle définition de X ou de Y de façon à dissoudre le lien entre les deux et créer une ouverture vers une vision plus constructive.

Prenons l'exemple d'un enfant qui aurait la croyance inconsciente qu'il doit souffrir pour être aimé et qui vit souvent des déceptions, peines, injustices, frustrations, échecs. Le tableau 10 offre plusieurs visions de la souffrance et de l'Amour pour illustrer cela.

Tableau 10 Transformer les croyances limitatives - Relation à l'Amour		
VISION DE LA SOUFFRANCE	**CROYANCE LIMITATIVE**	**VISION DE L'AMOUR**
C'est souffrant de croire cela !		L'amour c'est l'amour !
Est-ce que la souffrance t'amène toujours de l'amour ?		Qu'est-ce qui est plus important pour toi : aimer ou souffrir?
Qu'est-ce qui te fait croire que tu dois souffrir pour être aimé?		Comment pourrais-tu mettre plus d'amour dans ta vie ?
Souffrir est une expérience. Est-ce que tu veux la vivre encore un peu plus longtemps ?	**Je dois souffrir pour être aimé** (X) cause (Y)	Alors si tu veux être aimé, tu vas souffrir beaucoup. Est-ce que c'est vraiment ce que tu veux ?
J'imagine qu'en ayant beaucoup de souffrances, tu aimerais avoir beaucoup d'amour ?		C'est en donnant de l'amour qu'on reçoit de l'amour. Comment pourrais-tu t'aimer ?
As-tu déjà eu de l'amour sans souffrir ? As-tu déjà vu quelqu'un qui est aimé sans souffrir ?		C'est une bien drôle d'idée qui n'est plus nécessaire si tu choisis l'amour et l'harmonie pour toi.
Ça veut dire quoi pour toi, souffrir ?		Ça veut dire quoi pour toi l'amour ?

Prenons maintenant un autre exemple de croyance limitative (tableau 11) qui touche la reconnaissance de notre valeur d'être.

Tableau 11 Transformer les croyances limitatives - Relation à la valeur de soi		
VISION DE MA VALEUR	**CROYANCE LIMITATIVE**	**VISION DE MES ACTIONS**
Ta valeur vient de qui tu es ! Tu n'as rien à faire pour être aimé Tu es déjà aimé à l'infini. Tu as toujours été aimé. Tu seras toujours aimé. Tu peux t'aimer par-dessus tout. Tu peux choisir d'aimer la vie !	**Ma valeur vient de ce que je fais (X) = (Y)**	Cela veut dire que tu vas faire beaucoup de choses pour sentir que tu as de la valeur. Cela crée les patterns de performance, perfectionnisme, compétition ou parfois l'inverse quand nous avons trop peur de ne pas réussir
Est-ce que c'est seulement ce que tu fais qui te donne ta valeur ?		Qu'est-ce qui est plus important : jouer un rôle ou être toi ?
Qu'est-ce qui te montre que la vraie valeur des gens vient de ce qu'ils font ?		Le paradis, c'est quand tu es toi et que tu te crées une vie heureuse
La valeur, c'est ce que tu vois quand tu regardes avec les yeux du cœur.		Tu peux t'amuser à être toi et utiliser tes dons, forces et talents pour contribuer à un monde meilleur
J'imagine que c'est important pour toi de te sentir valorisé ?		Si tu reconnais ta valeur, tu vas avoir beaucoup plus de temps libre parce que tu n'auras plus rien à faire pour t'en rappeler.

Tableau 11 (suite) Transformer les croyances limitatives - Relation à la valeur de soi		
VISION DE MA VALEUR	CROYANCE LIMITATIVE	VISION DE MES ACTIONS
As-tu déjà senti que tu avais de la valeur sans rien faire, juste parce que tu étais toi ? Même une petite fois ! As-tu déjà senti que quelqu'un avait de la valeur pour toi parce qu'il était lui ? C'est pareil pour toi.	Ma valeur vient de ce que je fais (X) = (Y)	Quand un bébé vient au monde, il n'a encore rien fait et pourtant il a une valeur inestimable. C'est comme ça pour tout le monde. C'est juste que plusieurs personnes l'ont un peu oublié.
Ta valeur est inestimable. Tu es en train de t'en rappeler !		Les actions qui ont de la valeur pour toi te rendent heureux et vivant !

Le tableau 12 offre un exemple relié à la non-acceptation d'être et de vivre sur la Terre.

La simplicité de ces regards montre bien qu'il n'est pas nécessaire de faire des discours compliqués pour proposer une nouvelle vision. La vie est simple et notre vie peut être simple aussi. Il n'y a pas de recettes magiques pour savoir qu'est-ce qui va avoir un impact pour chaque enfant. Parfois une vision en apparence inefficace prépare le terrain pour permettre une transformation qui arrivera au bon moment. La meilleure inspiration vient de l'écoute de notre Sage intérieur lorsque nous avons une connexion de cœur à cœur avec l'enfant.

ORIENTER L'ATTENTION VERS LES SOLUTIONS PAR LA CO-CRÉATION

Plusieurs approches rationnelles orientent l'attention et l'énergie des enfants vers l'atteinte d'objectifs qui sont souvent des

Tableau 12 Transformer les croyances limitatives - Relation à la vie sur Terre		
VISION DE L'IDENTITÉ	**CROYANCE LIMITATIVE**	**VISION DE LA TERRE**
Tu peux, tu as le droit et tu mérites d'être toi sur la Terre. C'est pour ça que tu es ici ! Pour être toi et le rayonner librement !		La Terre est une super belle planète de l'univers. Elle t'accueille pour que tu puisses être toi-même et ressentir une expérience de l'Amour.
Est-ce que la Terre t'a interdit d'être toi ? Tout ce que tu vis sur la Terre est une expérience de qui Tu Es.		Qu'est-ce qui est le plus important : être heureux ou être malheureux sur la Terre ?
De quoi tu aurais l'air si tu étais toi ?		La Terre est un paradis si tu le veux
Tu es toujours toi. C'est juste que parfois tu joues à l'oublier pour t'en rappeler. Le temps que cela prend dépend de toi, des expériences que tu vis et des leçons de sagesse que tu intègres.	**Je ne peux pas être moi sur la Terre (X) = (Y)**	Si tu gardes l'impression que tu ne peux pas être toi sur la Terre, tu passes ton temps à vouloir être ailleurs et tu ne profites pas de l'instant présent. Est-ce que c'est ce que tu veux ?
J'imagine que tu veux être heureux		La Terre est Amour comme toi
Même quand tu te caches dans un endroit ou sous un déguisement, tu es toujours là où tu es.		Sur la Terre il y a en même temps des gens heureux et d'autres qui sont en guerre. Qu'est-ce que ton cœur voudrait pour toi sur la Terre ?
Tu es Amour et c'est ta seule réalité.Si tu le choisis, tu peux ramener l'harmonie dans ta vie PAR le DON de l'Amour. Tu Es et Nous Sommes Un !		La Terre a longtemps permis d'expérimenter les dualités. Elle évolue maintenant vers l'unité. C'est ce qu'on appelle le paradis terrestre.

symboles matériels, hiérarchiques ou de performance, et qui leur apportent peu de satisfaction durable. Bien que couramment répandues et expérimentées, ces approches suscitent fréquemment de la résistance de la part des enfants qui sont plus intuitifs et qui préfèrent la collaboration à la compétition, la découverte à la lutte, et le respect de ce qu'ils sont à ce que les autres voudraient qu'ils soient.

D'autres approches davantage adaptées aux nouveaux enfants consistent à co-créer avec le divin ce qu'ils désirent vraiment. Un accompagnement structurant leur permet alors d'apprendre à se reconnaître, s'aimer, se faire confiance et de pouvoir ainsi accueillir avec dignité les ressources, outils, expériences et enseignements qui leur sont proposés. Il leur permet d'apprendre à s'organiser efficacement pour favoriser l'émergence de leurs dons, forces et talents, et à les utiliser pour contribuer à créer le monde dans lequel ils veulent vivre. Il leur permet de trouver en eux la motivation pour expérimenter, trouver des solutions, apprendre et en intégrer les leçons de sagesse.

Ce ne sont pas les objectifs de comportement ou de performance qui les stimulent mais leurs effets et impacts. C'est ce qui amène les enfants à demander si souvent à quoi ça sert d'apprendre ceci ou cela, de faire ceci ou cela ? Par exemple, ce qui stimule vraiment les enfants dans le développement de leurs capacités et comportements d'apprentissage ne sont pas les notes et résultats académiques, mais ce qui en découle comme la reconnaissance de Soi (réalisation et expression harmonieuse de ce qu'ils sont), de l'estime de Soi (valeur positive à propos d'eux-mêmes et sentiment de mériter d'être aimé), de la confiance en Soi (croyance qu'ils sont capables de créer et d'avoir un impact positif), ainsi que du sentiment d'appartenance (conscience et certitude de l'unité avec le divin pour réaliser ce qui est vraiment important et contribuer à l'émergence du plus grand bien) et la conscience d'être bienvenus sur la Terre.

Ils ont besoin de ressentir cela pour s'engager de façon responsable dans la création de nouveaux projets, à l'école, à la maison, dans les activités parascolaires ou dans les relations avec les autres. Lorsqu'ils créent, leur formulation consciente et inconsciente, pourrait être « je co-crée avec le divin la réalisation de…, je co-crée avec le divin d'être heureux, je co-crée avec le divin que ma vie soit équilibrée et joyeuse. C'est accompli. Merci. »

DÉCODER LES VÉRITABLES DEMANDES ET PRIORITÉS DES ENFANTS

Apprendre à décoder les véritables demandes et priorités des enfants simplifie les relations et fait aussi grandir le respect, la responsabilisation et la collaboration. Cela nous demande parfois de pouvoir discerner les demandes entendues des demandes réelles.

Par exemple, beaucoup de personnes veulent avoir plus d'argent. Pour certaines personnes, les effets et impacts d'avoir plus d'argent sont reliés à leurs capacités de faire quelque chose (capacité et comportement) et pour d'autres cela est relié au sentiment de sécurité (valeur), du pouvoir (croyance), de reconnaissance (valeur de soi), de réussite (identité) ou d'appartenance (spiritualité). Dans cet exemple, l'argent est le symbole de la demande. Si nous répondons aux demandes seulement en donnant de l'argent, les états de satisfaction ne seront que temporaires parce que leur demande réelle n'est pas satisfaite. Ainsi les personnes qui veulent toujours plus d'argent pour se sentir en sécurité par exemple (source de sécurité extérieure) vont vivre en quête d'argent continuelle ou dans l'illusion d'en manquer même en ayant des millions de dollars en banque, jusqu'au moment où elles trouvent la source de leur sécurité à l'intérieur d'eux-mêmes. Par contre, si leur véritable demande est entendue, elle peut être reconnue et adressée.

L'idée est d'entendre la véritable demande de la demande. C'est la même chose avec les enfants. Dans leurs demandes, ils expriment parfois qu'il leur manque quelque chose, qu'ils vivent une disharmonie, qu'ils veulent de l'aide dans leurs apprentissages ou simplement qu'ils veulent quelque chose pour toutes sortes de raisons. Dans ces situations, quelques questions clés permettent d'identifier quelles sont leurs véritables demandes et priorités :

- Qu'est-ce que tu veux ? (réponse : besoin exprimé)
- En quoi c'est important pour toi d'avoir ce que tu veux ? (réponse : critères de décision)
- Qu'est-ce que ça va permettre/qui va arriver si tu as ce que tu veux ? (réponse : impact).

La réponse à ces questions permet de clarifier ce qu'il demande vraiment (demande). Nous pouvons vérifier si nous avons bien compris en reformulant de façon à redonner aux enfants leurs propres pouvoirs d'être heureux et responsables d'eux-mêmes (véritable demande).

Voici quelques exemples concrets pour décoder leurs véritables demandes et priorités. La conscience des niveaux logiques favorise l'alignement et l'émergence de la reconnaissance, l'estime et la confiance des enfants.

Tableau 13
Décoder les véritables demandes et priorités quotidiennes

ADULTE	ENFANT	RÉPONSE	NIVEAUX LOGIQUES
Qu'est-ce que tu veux ?	Viens jouer avec moi	Besoin	**Comportement**
En quoi c'est important que je joue avec toi ?	Pour jouer <u>avec quelqu'un</u>	Critère de décision	**Valeur**
Qu'est-ce que ça va permettre si je joue avec toi ?	Avoir du plaisir <u>ensemble</u>	Impact	**Valeur**
Reformuler… Si je comprends bien, tu veux t'amuser <u>avec d'autres personnes</u> et te <u>sentir bien</u>… (adresser ces vraies demandes)		Demande	**Identité Valeur**

ADULTE	ENFANT	RÉPONSE	NIVEAUX LOGIQUES
Qu'est-ce que tu veux ?	Est-ce que je peux dormir dans ton lit avec toi toute la nuit ?	Besoin	**Comportement**
En quoi c'est important pour toi de dormir avec moi toute la nuit ?	Pour être <u>avec toi</u>	Critère de décision	**Valeur**
Qu'est-ce que ça va permettre si tu es avec moi ?	<u>Pas faire de mauvais rêves</u> et être toute <u>seule avec toi</u>	Impact	**Valeur**
Reformuler… Si je comprends bien, tu veux <u>sentir que tu es aimée et en sécurité</u>… (adresser ces demandes) La Force est avec toi !		Demande	**Identité Valeur**

Tableau 13 (suite) Décoder les véritables demandes et priorités quotidiennes			
ADULTE	**ENFANT**	**RÉPONSE**	**NIVEAUX LOGIQUES**
Qu'est-ce que tu veux ?	Je veux brasser la pâte à gâteau	Besoin	**Comportement**
En quoi c'est important pour toi de brasser la pâte ?	Je suis capable de le faire tout seul	Critère de décision	**Compétence Croyance Valeur**
Qu'est-ce que ça va permettre si tu le fais tout seul ?	Je suis assez grand	Impact	**Valeur de soi**
Reformuler... Si je comprends bien, tu veux sentir que tu es quelqu'un d'important et te faire confiance... (adresser ces demandes)		Demande	**Identité Valeur de soi**

ADULTE	**ENFANT**	**RÉPONSE**	**NIVEAUX LOGIQUES**
Qu'est-ce que tu veux ?	Je veux avoir de l'argent	Besoin	**Comportement**
En quoi c'est important pour toi d'avoir de l'argent ?	Pour acheter un jeu X	Critère de décision	**Capacité**
Qu'est-ce que ça va permettre si tu as ce jeu X ?	Jouer avec mes amis. Ils en ont tous.	Impact	**Appartenance Valeur**
Reformuler... Si je comprends bien, tu veux sentir que tu fais partie d'un groupe. Tu peux choisir à quoi tu joues en restant toi-même... (adresser ces demandes)		Demande	**Appartenance Identité Valeur**

Tableau 13 (suite) Décoder les véritables demandes et priorités quotidiennes			
ADULTE	**ENFANT**	**RÉPONSE**	**NIVEAUX LOGIQUES**
Qu'est-ce que tu veux ?	(après une crise) Je veux l'avoir tout de suite	Besoin	**Comportement**
En quoi c'est important pour toi de faire une crise pour me le dire ?	Pour que tu <u>m'entendes</u>	Critère de décision	**Capacité** **Croyance**
Qu'est-ce que ça va permettre si je t'entends ?	<u>Tu vas me le donner</u>	Impact	**Identité Valeur**
Reformuler… Si je comprends bien, tu veux sentir que tu as le <u>pouvoir d'avoir ce dont tu as vraiment besoin toi-même</u>. Viens nous allons parler de ce dont tu as vraiment besoin et des façons que tu peux choisir pour l'avoir… (adresser ces demandes)		Demande	**Croyance Capacité**

ADULTE	**ENFANT**	**RÉPONSE**	**NIVEAUX LOGIQUES**
Qu'est-ce que tu veux ?	J'ai mal au ventre. Je veux rester ici.	Besoin	**Comportement**
En quoi c'est important pour toi de rester ici ?	Je veux <u>rester</u> avec toi et me <u>reposer</u>.	Critère de décision	**Comportement**
Qu'est-ce que ça va permettre si je reste avec toi et que tu te reposes ?	<u>Être bien</u> et ne pas être <u>obligé</u> de faire des choses que je n'aime pas	Impact	**Valeur Croyance**
Reformuler… Si je comprends bien, tu veux <u>être heureux</u> et apprendre à <u>dire non</u> quand tu ne te sens pas bien dans une situation. C'est intéressant que tu puisses <u>choisir</u> de te <u>respecter</u> et d'être <u>bien avec toi-même</u> en restant en <u>bonne santé</u>… (adresser ces demandes)		Demande	**Identité Valeur Croyance Compétence**

Tableau 13 (suite) Décoder les véritables demandes et priorités quotidiennes			
ADULTE	**ENFANT**	**RÉPONSE**	**NIVEAUX LOGIQUES**
Qu'est-ce que tu veux ?	Je veux avoir la paix	Besoin	**Valeur**
En quoi c'est important la paix pour toi ?	Pour faire ce que je veux quand je veux	Critère de décision	**Valeur**
Qu'est-ce que ça va permettre si tu fais ce que tu veux quand tu veux ?	Je vais enfin me sentir libre d'être moi-même	Impact	**Identité Valeur**
Reformuler… Si je comprends bien, tu veux choisir toi-même comment tu es heureux et comment tu vas contribuer à un monde de paix et de liberté… (adresser ces demandes)		Demande	**Spiritualité Identité Valeur Croyance Capacité**

ADULTE	**ENFANT EXEMPLE (FORMULATION PAR LE NÉGATIF)**	**RÉPONSE**	**NIVEAUX LOGIQUES**
Qu'est-ce que tu veux ?	Je ne veux pas que tu entres dans ma chambre	Besoin	**Comportement**
En quoi c'est important que je n'entre pas dans ta chambre ?	C'est mon espace à moi et je ne veux pas que tu fouilles dans mes affaires	Critère de décision	**Croyance Comportement**
Qu'est-ce que ça va permettre si je te laisse ton espace ?	Je veux que ma vie privée soit respectée	Impact	**Valeur Croyance**
Reformuler… Si je comprends bien, tu veux être respecté et mettre des limites sur ce qui entre dans ton intimité. C'est intéressant que tu développes maintenant le discernement pour écouter ton cœur et savoir ce qui est bien pour toi et ce qui ne te convient pas … (adresser ces demandes)		Demande	**Identité Valeur Croyance Compétence**

Tableau 13 (suite) Décoder les véritables demandes et priorités quotidiennes			
ADULTE	**ENFANT EXEMPLE (FORMULATION PAR LE NÉGATIF)**	**RÉPONSE**	**NIVEAUX LOGIQUES**
Qu'est-ce que tu veux ?	Je ne veux pas aller à l'école	Besoin	**Comportement**
En quoi c'est important pour toi de ne pas aller à l'école ?	Je ne veux plus <u>me faire emmerder</u> par les autres et me sentir <u>poche</u> (nul, idiot)	Critère de décision	**Comportement Valeur**
Qu'est-ce que ça va permettre si tu t'éloignes des autres et de l'école ?	Je vais arrêter de me faire taper sur la tête même quand je <u>fais des efforts</u>	Impact	**Compétence Valeur**
Reformuler… Si je comprends bien, tu veux <u>faire ton possible</u> et être <u>apprécié</u> pour qui <u>tu es</u>. C'est intéressant que tu sois conscient que l'amour inconditionnel est de pouvoir <u>s'aimer et aimer les autres comme ils sont</u>. Beaucoup de gens ont simplement oublié que leur <u>valeur vient de ce qu'ils sont</u>… (adresser ces demandes)	Demande	**Identité Valeur Croyance Compétence**

Le discernement respectueux du besoin et de la demande

Si nous offrons aux enfants ce dont ils ont besoin, ils sont intéressés et momentanément satisfaits. Si nous offrons aux enfants ce qu'ils demandent vraiment, alors il est plus probable qu'ils soient prêts à s'engager et à s'impliquer parce que c'est ce qui est véritablement important pour eux, ce qui les motive.

En répondant aux multiples besoins des enfants, une dynamique parfois rencontrée est celle de la pitié, c'est-à-dire la volonté de « faire à la place de » et d'empêcher ou de contourner certaines difficultés qu'ils pourraient vivre. La pitié est basée sur la peur de quelque chose. (Tableau 14) La conséquence est que lorsque les enfants voient que leurs besoins sont comblés par les autres, ils détournent alors leur attention vers autre chose sans avoir appris à faire eux-mêmes ce dont ils sont capables. Ils vont ensuite répéter le pattern jusqu'à ce qu'il soit compris. C'est très épuisant à la longue pour les personnes qui font tout pour les enfants et cela induit souvent des climats de négociation où il y a des perdants et des gagnants.

Répondre à leurs demandes réelles ouvre la porte à la dynamique de la compassion, c'est-à-dire la volonté d'aider les enfants à apprendre mieux, plus vite et de façon responsable ce qu'ils ont choisi d'apprendre. La compassion est basée sur l'Amour et permet de considérer les enfants comme des Maîtres et les aider à s'en rappeler. Cette approche permet à chacun de récupérer son pouvoir personnel avec sagesse et induit des climats de collaboration énergisants et gagnants pour tous. Il est intéressant d'inviter les enfants à participer également au choix des mécanismes de suivi et des conséquences pour le respect des ententes convenues avec eux.

Lorsqu'un enfant a vécu une expérience dans laquelle il a eu peur de manquer ou de perdre quelque chose qu'il aime beaucoup ou qui est très important pour lui, il prend souvent la décision consciente et inconsciente de faire ce qui lui semble nécessaire pour ne plus revivre cette souffrance. C'est l'origine de plusieurs mécanismes de contrôle. C'est une façon inconsciente de prendre soin de soi, par la peur plutôt que par l'Amour. La voie de la compassion est de les accompagner dans la reconnaissance, la confiance, l'estime et le respect de ce qu'Ils sont en unité avec le Tout. Cet accompagnement touche les niveaux logiques de la spiritualité, de l'identité, des croyances et des valeurs. Lorsque ces fondations sont plus harmonieuses, les

	PITIÉ	COMPASSION
Tableau 14		
L'impact de l'accompagnement par la pitié ou par la compassion		
Motivation	Peur (de manquer, perdre, rejet…)	Amour
Lien au pouvoir	Amour du pouvoir	Pouvoir de l'Amour
État	Insécurité - Doute - Ego	Confiance - Estime de soi - Souplesse
Résultat	Gagnant - Perdant	Gagnant - Gagnant
Impact	Dépendance	Pouvoir personnel - Autonomie
Énergie	Épuisement	Gain d'énergie pour tous

changements au niveau des attitudes, compétences et comporte-ments sont beaucoup plus faciles et ils émergent parfois naturel-lement et spontanément. Leurs demandes et besoins évoluent aussi avec eux. Certains parents qui agissent de façon contrôlante avec leurs enfants, ont encore quelques harmonisations à faire au niveau de leurs propres fondations de personnalité et leur expé-rience de contrôle est souvent une projection sur leurs enfants de ce qu'ils souhaiteraient pour eux-mêmes. Cela fait partie d'un apprentissage mutuel pour se rappeler le pouvoir de l'Amour.

Établir des priorités dans les demandes des enfants

Lorsqu'il y a une abondance de demandes simultanées, nous pouvons demander aux enfants de définir leurs priorités. Parfois c'est simple et parfois tout leur semble également prioritaire et urgent. Ils ont l'impression que choisir les amène à perdre quelque chose qui est important à leurs yeux. Nous pouvons leur offrir une autre vision en leur demandant ce qu'ils choisissent de faire grandir maintenant en écoutant la voie de leurs cœurs.

À l'école ou à la maison, nous pouvons aussi les aider à mettre des priorités en s'amusant par le jeu :

- Inviter les enfants à fermer les yeux et respirer calmement. Amener graduellement leur attention sur le bout de leur nez, leur main droite et le bout des doigts, leur main gauche et le bout des doigts, puis dans le cœur. Rendus là ils peuvent nommer un choix à la fois et écouter pour quel choix ils se sentent le plus en paix et heureux dans leur cœur en ce moment.

- Écrire chaque demande sur une languette de papier et leur demander de les mettre en ordre de priorité. Nous pouvons ensuite coller ces languettes sur une feuille pour conserver la vue d'ensemble. Cela peut être très intéressant de faire le processus en parallèle pour soi et de comparer les résultats de chacun afin de trouver un terrain d'entente gagnant-gagnant ou pour expérimenter une façon créative de structurer un projet ou une présentation.

- Lorsqu'il y a un petit nombre de demandes, nous pouvons utiliser un jeu de stratégie systématique comme : si tu as le choix entre A et B, lequel est le plus important pour toi ? Si tu as le choix entre A et C, lequel est le plus important pour toi ? Nous pouvons les écrire au tableau en indiquant les relations d'importance. Cela peut servir en même temps pour l'apprentissage des relations mathématiques de « plus petit que... » ou « plus grand que... »

- Si le contexte se prête à l'apprentissage de la confiance en la vie, nous pouvons mettre toutes les demandes dans un chapeau, passer notre commande à l'univers en demandant à l'amour de nous proposer ce qui est le plus approprié pour nous à ce moment et piger les réponses.

NÉGOCIER AVEC LES ENFANTS

Négocier avec les nouveaux enfants peut être une expérience très enrichissante sur le plan évolutif. Cela est une façon d'intégrer l'apprentissage du pouvoir de l'amour et de la sagesse. Que ce soit pour les enfants ou les adultes, les écarts à cette voie du cœur expriment simplement l'expérience d'une certaine peur que nous tentons de compenser ou de contourner. Dans ce cas, les jeux de manipulations et de négociations tordues seront probablement à l'honneur.

Pour les adultes comme pour les enfants, la première étape est d'écouter notre cœur et ce qui éveille la joie en nous. Au besoin, nous pouvons utiliser le même processus que nous venons de voir pour décoder les véritables demandes et priorités des enfants. Nous pouvons ensuite dire clairement ce que nous voulons avec des mots simples, positifs et réalistes. Si nous sommes bien enracinés, centrés et alignés, les négociations peuvent faire émerger l'expression, la créativité et des ententes respectueuses pour tous.

Offrir des choix dans la négociation

Les nouveaux enfants aiment choisir eux-mêmes ce qui leur convient. En leur offrant des choix, nous leur offrons la possibilité de trouver ce qui les motive et les incite à agir. Cela leur permet de mettre eux-mêmes de l'ordre dans leurs valeurs et priorités et contribue à leur responsabilisation. En parlant avec eux des choix et de leurs conséquences, cela permet à leur conscience de reconnaître qu'ils sont des créateurs et de l'assumer ici et maintenant les deux pieds sur la Terre dans la voie du cœur.

Lorsque les enfants résistent, refusent de choisir ce qui leur convient ou de dire ce qu'ils veulent vraiment, nous rencontrons simplement l'expression d'un mécanisme de défense ou d'adaptation que l'enfant a choisi consciemment ou inconsciemment pour préserver quelque chose qui est encore plus important pour lui que ce dont il est question à ce moment. Cela est toujours relié à une perception de ce qu'il doit faire pour être aimé, accepté, valorisé, reconnu, des permissions qu'il se donne ou pas, du sentiment de mériter ce qui est bien et bon pour lui ou pas, ou du sentiment d'être capable de s'accueillir et d'exprimer librement ce qu'il est ou pas.

S'il y a quelques hésitations ou ajustements nécessaires pour aider les enfants ou pour nous aider à préciser nos choix, nous pouvons regarder dans notre cœur et voir :

- Qu'est-ce qui arriverait si nous faisions ce choix ?
- Qu'est-ce qui arriverait si nous ne faisions pas ce choix ?
- Qu'est-ce qui n'arriverait pas si nous faisions ce choix ?
- Qu'est-ce qui n'arriverait pas si nous ne faisions pas ce choix ?

Cela nous amène à prendre conscience des conséquences et à ressentir l'effet de ces choix sur notre état de sérénité du cœur et de paix intérieure.

Parfois nous pouvons contourner les barrières mentales avec des questions comme :

- Si un miracle se produisait... qu'est-ce qui arriverait ?
- Si l'Amour était ton seul maître, qu'est-ce que tu choisirais ?

Cela leur permet de s'ouvrir à des perspectives auxquelles ils n'avaient peut-être pas pensées et qui sont en harmonie avec eux et l'univers. Nous pouvons les encourager à avancer un pas à la fois et à se faire confiance en unité avec le Tout.

Lorsque des façons disharmonieuses d'agir semblent généralisées, nous pouvons orienter leur attention vers les exceptions harmonieuses qui créent une ouverture vers un processus de solution. Aux enfants qui semblent tourner en rond dans le cycle des plaintes et de l'état de victime, nous pouvons leur proposer d'observer comment ils s'y prennent quand ils réussissent ou maîtrisent bien quelque chose ou d'observer et de noter ce qui se passe quand ils expérimentent une situation. Cela leur permet tout doucement de réaliser quelles sont les étapes qui peuvent être améliorées et d'apprécier toutes les étapes qui sont déjà satisfaisantes. Cela leur permet de prendre un recul et de remettre chaque chose à sa place. C'est beaucoup plus facile ensuite de faire des ajustements.

Avec les enfants qui continuent l'expérience de négativité, nous pouvons les encourager à imaginer ce qui va se passer si cela continue à l'extrême jusqu'au point de pouvoir commencer à en rire et désamorcer le drame. Il peut alors y avoir une ouverture pour envisager des solutions.

Aux enfants qui semblent prêts à agir mais qui ne savent pas comment s'y prendre, nous pouvons leur proposer de prendre conscience de ce qu'ils font de façon satisfaisante pour eux et de continuer, d'adapter ou de transférer ces habiletés dans d'autres contextes. Nous pouvons également leur proposer d'expérimenter quelque chose de différent et de raconter ensuite ce qu'ils en ont appris. Cela leur permet d'écouter et de partager les leçons de sagesse et de continuer à couler en harmonie avec la vie qui est en perpétuel changement. Nous pouvons aussi leur proposer d'imaginer à quoi ressemblerait l'idéal divin et de le mettre en action un pas à la fois. Cela leur permet de se recentrer dans leur essence de créateur et de le manifester sur la Terre.

L'EXPRESSION ET LE LANGAGE DU CORPS

APPRIVOISER LE LANGAGE DU CORPS

Le langage du corps fait partie du langage non verbal. Il exprime ce que les mots ne peuvent pas dire, ce qui n'a pas besoin de mots, ce qui vient de l'inconscient et des réflexes automatiques du corps. Comme nous l'avons constaté plus tôt, son impact réel est plus grand que celui des mots et il nous renseigne sur notre cohérence interne avec le message des mots ou du silence. L'observation respectueuse des mouvements et signaux subtils du corps permet de développer nos habiletés d'écoute et de traduction de comment nous vivons ce que nous vivons.

Avec les enfants, nous pouvons par exemple :

- Nous amuser à décoder les messages du corps en demandant à quelqu'un de mimer un état intérieur comme être joyeux, triste, curieux, émerveillé, en colère, triste, en sécurité, de bonne humeur, fatigué, confiant, fier, estime de soi, attentif, centré, heureux… Nous pouvons ensemble partager ce que nous observons dans l'expression de son visage, les positions et mouvements de son corps et par notre ressenti du cœur.

- Nous pouvons proposer aux enfants de dire quelque chose et de mimer autre chose, comme par exemple, de dire « j'ai confiance en moi » en prenant une position de quelqu'un qui est timide ou à l'inverse, de dire « je suis gêné » en prenant la position de quelqu'un qui a confiance en lui. Nous pouvons partager avec les enfants ce qu'ils perçoivent, ce qu'ils ressentent vrai dans leur cœur, et comment ils se sentent quand leur corps et leurs paroles disent la même chose et quand ce n'est pas le cas. Cela est une aide précieuse de conscience d'eux-mêmes.

- Nous pouvons proposer à chaque enfant de choisir une petite phrase simple. Tous les enfants sont debout dans un grand cercle. Un à la fois, chaque enfant dit sa petite phrase en marchant vers une 1ère personne. Il va ensuite vers une 2ième personne, s'arrête à mi-chemin et dit sa petite phrase avec une intonation différente. Il va ensuite jusqu'à une 3ième personne et lui redit sa petite phrase face à face. Partager les observations et le ressenti de ce qui est dit et entendu.

- Nous pouvons inviter les enfants à un jeu de rôle. En groupes de trois, les enfants choisissent trois personnages par exemple: enfant, ami, enseignant, parent, frère, sœur… Chacun joue successivement le rôle de chaque personnage pendant une minute. Partager.

- Nous pouvons faire une pause et inviter les enfants à faire un exercice d'enracinement et de centrage. Nous continuons ensuite l'activité choisie en amenant les enfants à ressentir la différence dans leur cohérence de langage verbal et non verbal lorsqu'ils sont bien enracinés, centrés et alignés.

- Nous pouvons inviter les enfants à un petit jeu d'improvisation. Lorsque c'est leur tour, chaque enfant pige un petit papier sur lequel est écrit un sujet très simple et sur lequel ils vont improviser pendant deux ou trois minutes. Les autres enfants écoutent et observent l'évolution des mouvements du corps et du ressenti lorsqu'une personne improvise. Nous pouvons alors partager avec eux ce qu'ils ont perçu et les inviter à dire un à trois mots qui résument ce qu'ils ont retenu et comment ils se sentent. Cela permet à l'enfant qui a parlé d'avoir un feedback sur l'impact de ce qu'il a raconté.

Ce genre d'exercices développe aussi la concentration et l'attention des enfants. Au fur et à mesure que les enfants développent leur acuité sensorielle, nous pouvons amener leur attention sur plusieurs aspects du langage du corps en observant les aspects suivants:

Le corps

- Posture générale : droit, assis, sur un côté, équilibré, souple, rigide, décontracté...
- Gestes : ouverts, discrets, mono ou bilatéraux, doux, violents, accueillants, directifs, aimants...
- Position de la tête : à gauche, à droite, devant, derrière, droit...
- Position des épaules : vers l'avant, vers l'arrière, arrondies, droites, vers le haut...
- Couleur de la peau : blême, blanche, « verte » de peur, rose, rouge, bronzée...
- Tonus musculaire : ferme, mou, tendu, détendu, crispé, relaxé...
- Mouvements involontaires : tics nerveux, balancement des jambes, veines superficielles...

Le visage

- Expressions et plis du visage : rire, tristesse, colère, joie, surprise, émerveillement...

- Mouvements des narines : contraction, épatement, gonflement…
- Couleur des lèvres : blême, rose, rouge, bleu…
- Mouvements des lèvres : pincées, détendues, ouvertes…
- Mouvements du menton : détendu, avancé, reculé…

Le regard

- Brillance du regard : terne, brillant, pétillant, translucide… les yeux sont lumineux et brillants lorsque l'enfant est lumineux et regarde le monde avec confiance et Amour.
- Profondeur du regard : présent, vers l'arrière, vers l'avant…
- Taille des pupilles des yeux : contractées, dilatées… la dilatation des pupilles traduit l'ouverture sur le ressenti, l'affectivité.
- Ouverture de l'œil : l'œil gauche est plus grand en période d'émotivité, d'intuition, de création, d'intérêt soutenu et l'œil droit est plus grand en période de réflexion logique.
- Mouvements fins des sourcils : hausse, circonflexe, baisse…
- Mouvements fins des paupières : clignements…
- Le message des larmes : les larmes qui coulent de l'intérieur des yeux sont des larmes de tristesse, celles qui coulent du milieu de l'œil sont des larmes de libération des charges émotionnelles et celles qui coulent de l'extérieur des yeux sont des larmes de joie.

La voix

- Débit : rapide, lent…
- Rythme : continu, saccadé…

- Tonalité : aigu, grave, son ouvert, son fermé, nasillard...
- Volume : fort, modéré, doux...

La respiration

- Inspiration et expiration : par le nez, la bouche...
- Profondeur : superficielle (thorax), moyenne (diaphragme), profonde (abdomen)...
- Rythme : rapide, courte, détendue, lente, prolongée...

L'observation des mouvements et signaux du langage verbal et non verbal est ce que nous appelons le calibrage. Cela nous permet d'utiliser nos sens et notre ressenti du cœur pour mieux percevoir ce qui est reçu et émis en communiquant avec les enfants et de reconnaître comment ils vivent ce qu'ils vivent dans l'ici et maintenant. Il existe bien sûr des différences d'acuité sensorielle d'une personne à l'autre et chacun observe un ou quelques signaux à la fois. Nous pouvons choisir d'utiliser ces informations avec sagesse pour faire grandir les dons, forces et talents ou pour faciliter l'évolution vers une expérience plus harmonieuse.

Imaginons un enfant qui a un comportement impatient par exemple. Nous pouvons calibrer des signes comme:

- Gestes : imprévisibles, spontanés, ampleur inattendue, tendus, nerveux...
- Corps : tapement des pieds ou des mains, bougeotte...
- Visage : peau rouge, narines battantes, lèvres qui bougent...
- Regard : mouvements rapides des yeux, regard éparpillé...
- Voix : rapide, ton plus aigu...
- Respiration : superficielle, soupirs...

Lorsque nous voyons ces signes apparaître avec cet enfant, nous pouvons reconnaître qu'il vit une expérience d'impatience. Les signes pourraient être différents avec un autre enfant car le calibrage est une observation personnalisée. Quelques petits exercices amusants peuvent faciliter le développement de l'observation et l'écoute du ressenti du cœur. En voici des exemples :

- Nous invitons un enfant explorateur à s'asseoir. Nous lui montrons des cartes à jouer en silence, une à la fois, en montrant chaque carte à tous les observateurs. Ils observent les caractéristiques du visage, des yeux et du corps et écoutent leurs ressentis en silence aussi. Ensuite nous montrons la carte seulement à l'enfant explorateur et les autres peuvent savoir si la carte est rouge ou noire par exemple. Nous pouvons refaire le jeu avec les personnages et les chiffres ou avec le pique, trèfle, carreau et cœur. Partagez les observations et le ressenti.

- Nous invitons un enfant explorateur à s'asseoir. Nous posons quelques questions dont la réponse est « oui » pour lui. Il répond en disant « bla bla bla bla bla » ou en comptant « 1 2 3 4 5 6 7 ». Nous continuons en lui posant des questions dont la réponse est « non » et il continue de répondre par « bla bla bla bla bla » ou en comptant « 1 2 3 4 5 6 7 ». Les autres observent les caractéristiques de la voix et écoutent leurs ressentis en silence aussi. Nous posons ensuite quelques questions respectueuses dont nous ignorons si la réponse est « oui » ou « non » et les enfants peuvent découvrir quelle est la réponse. Partagez les observations et le ressenti.

- Nous invitons un enfant explorateur à s'asseoir. Nous posons quelques questions dont la réponse est « oui » pour lui. Trois autres enfants observent les caractéristiques de réponse du corps soit en prenant le pouls, en observant la variation de la chaleur ou de l'humidité en tenant sa main ou en déposant les mains sur ses épaules et en observant la variation de son tonus musculaire. Nous continuons en posant des questions dont la réponse est « non ». Nous posons ensuite quelques questions respectueuses dont nous ignorons si la réponse est « oui » ou « non » et les enfants peuvent savoir quelle est la réponse. Partagez les observations et le ressenti.

FAIRE GRANDIR LES DONS, FORCES ET TALENTS PAR L'EXEMPLE

Lorsque nous avons établi une bonne connexion avec les enfants, nous pouvons les guider par l'exemple pour faire quelques ajustements de comportement ou simplement pour leur proposer une nouvelle expérience, façon d'être ou de faire.

Imaginons par exemple un enfant timide qui regarde vers le sol, qui a les pieds tournés vers l'intérieur, qui respire fébrilement ou qui parle d'une voix quasi inaudible. Nous pouvons respectueusement adopter une position momentanément semblable en ajustant par exemple notre timbre de voix au sien, puis à l'amplifier graduellement en relevant la tête et les épaules et en respirant plus profondément. Si une connexion de confiance est vraiment bien établie avec l'enfant, il ajustera lui-même la position de son corps vers une expérience plus confiante et ouverte à la vie autour de lui.

Si cela ne se fait pas, il est préférable de continuer à nourrir une connexion respectueuse avec l'enfant afin qu'il arrive à se sentir suffisamment en confiance pour accepter l'expérience que nous lui proposons. Il est aussi possible qu'une programmation inconsciente amène un interdit ou une résistance à sa volonté, son droit, sa capacité ou son mérite de se faire confiance. Cela est toujours relié à des perceptions de reconnaissance, confiance, amour et respect de soi, et ce cheminement fait partie des choix de vie des enfants.

Une façon simple de savoir si la connexion est bien établie avec les enfants est de changer quelque chose dans notre position physique, notre rythme respiratoire ou notre ton de voix par exemple et d'observer leurs réactions. S'ils font la même chose ou adaptent leurs comportements, c'est que le contact est bien établi. Cela peut être instantané ou se manifester après un court délai pendant lequel les ajustements intérieurs se font avant d'être visibles à l'extérieur.

Nous pouvons également faciliter ce contact en intégrant dans notre vocabulaire quelques mots, tournures de phrases, expressions caractéristiques ou idées qu'ils nomment clairement. Le but est simplement d'utiliser un langage verbal et non verbal qu'ils peuvent reconnaître et qui leur confirment qu'ils sont accueillis et écoutés dans leur expérience de la réalité. C'est souvent ce qui permet de garder et de nourrir la connexion avec eux.

Lorsque les enfants ont des comportements excentriques ou irrespectueux, il est intéressant de nous synchroniser à eux par une voie de respect. Imaginons par exemple un enfant qui a un comportement qui fait beaucoup de bruit. Nous pouvons ajuster le rythme ou l'intensité de notre voix et la diminuer progressivement. Nous pourrions aussi taper sur un bureau avec un stylo en ajustant notre rythme au sien, puis en diminuant progressivement la vitesse et l'intensité du mouvement fait avec le stylo jusqu'à le déposer. Nous pourrions aussi jouer le « jeu du bruit » pour quelques instants puis arriver à la finale comme si c'était un morceau de musique. Ou encore, nous pourrions simplement faire évoluer les mouvements de notre corps par des gestes de centrage et d'apaisement qui indiquent à l'enfant que c'est dans cet état que nous sommes prêts à vraiment écouter ce qu'il a à dire.

Avec un enfant ayant un tic nerveux ou qui fait très souvent un mouvement répétitif qui lui est nuisible, nous pouvons par exemple nous gratter le nez à chaque fois qu'il fait le mouvement en s'assurant d'être dans une position où il nous voit consciemment ou inconsciemment, puis de diminuer graduellement ce geste en respirant de plus en plus calmement. Il est possible que cela fonctionne et il est possible que non. Cela vaut le plaisir d'en faire l'expérience.

Ce qui est intéressant dans ces approches, c'est qu'elles ne passent pas par les voies de l'affrontement, de l'interdit ou des punitions. Ce sont des façons gracieuses de dire aux enfants qu'ils sont accueillis et écoutés même lorsqu'ils ont des comportements qui nous semblent discordants, et que nous leur proposons simplement de retrouver un état de calme afin qu'ils puissent exprimer d'une autre façon ce qui est vraiment important pour eux.

APPRIVOISER LE LANGAGE DES YEUX

Les yeux ont un langage très intéressant à découvrir et à partager avec les enfants. Nous savons depuis la nuit des temps que les yeux sont le miroir de l'âme et que les mots sont superflus lorsque les regards se croisent avec sincérité. Peu importe ce que nous avons à partager, tout peut y être vu, entendu et ressenti.

Les yeux du cœur

Dans un contexte approprié, nous pouvons jouer à nourrir la connexion du cœur par les yeux. Nous pouvons par exemple proposer aux enfants de choisir un partenaire et en silence ; se regarder dans les yeux ; d'y voir le cœur d'Amour de l'autre ; de s'y reconnaître et de dire à l'autre « je t'aime » qui est aussi « je m'aime et nous sommes UN ». Il est peu probable qu'un enfant ait le goût de blesser l'autre devant lui lorsqu'il a reconnu que l'autre était « lui ». Cela déclenche souvent des épisodes de fou rire des enfants, selon leur confort à se regarder avec les yeux du cœur. Cela peut aussi exprimer simplement la joie du jeu et la pureté de cœur qui émerge. Il est parfois préférable d'apprivoiser cette expérience dans un état d'Amour inconditionnel des enfants. Un cercle de sagesse peut être très approprié après cette expérience afin de dissoudre graduellement la peur du ridicule, la gêne, la honte ou autre sentiment de malaise ou négativité et de régénérer la conscience et la certitude que tous sont respectés et aimés et que nous pouvons le voir, l'entendre et le ressentir lorsque le cœur est notre guide.

Il est possible aussi de vivre cette rencontre intérieure en visualisant notre roi et notre reine qui se rencontrent au deuxième chakra, sous le nombril, qui se prennent par les mains, qui les déposent sur leurs cœurs et qui se regardent dans les yeux jusqu'à ce qu'ils se reconnaissent dans les yeux de l'autre. À ce moment, il y a souvent une harmonisation naturelle des proportions et apparences du roi et de la reine, une étreinte sincère et parfois une fusion. Cela est très intéressant pour régénérer l'unité de nos forces féminine et masculine pour créer notre vie dans l'harmonie plutôt que la dualité.

Les yeux du corps

Nous avons tous déjà observé que nos yeux bougent pendant que nous parlons ou que nous sommes en silence ou en période de réflexion. En fait, les mouvements des yeux se dirigent dans des directions particulières selon que nous pensons à des images, des sons ou des sensations. Cela établit des contacts des cellules nerveuses de nos yeux avec les différentes aires de notre cerveau pour avoir accès à l'information qui est déjà emmagasinée dans nos mémoires ou pour utiliser notre potentiel pour créer de nouvelles choses.

Par l'observation, nous pouvons par exemple comprendre quelques facettes des façons internes que les enfants utilisent pour vivre une expérience ou faire un apprentissage.

Direction du regard (personne droitière, vue de face)

- V^c : Images visuelles construites (jamais vues auparavant)
- V^r : Images visuelles remémorées (déjà vues auparavant)
- A^c : Sons ou mots construits (jamais entendus auparavant)
- A^r : Sons ou mots remémorés (déjà entendus auparavant)
- A^d : Sons et mots du dialogue intérieur (petite voix intérieure qui nous parle)
- K : Ressenti et sensations kinesthésiques (ressenti, émotions, odorat, goût)

Note - Les yeux déconcentrés, immobiles ou dans le vague sont reliés à la vue. Il y a parfois certaines inversions (V^r et V^c) ou (K et A^d) avec les personnes gauchères.

En montrant aux enfants à choisir consciemment la direction de leur regard lorsque c'est pertinent, cela peut les aider à:

- Se souvenir de ce qu'ils ont lu (V^r),
- Se rappeler ce qu'une personne a expliqué (A^r),
- Retrouver où ils ont laissé quelque chose qu'ils cherchent (V^r),
- Trouver une nouvelle idée ou solution pour un projet (V^c),
- Dire d'une nouvelle manière ce qu'ils veulent exprimer (A^c),
- Se rappeler un état de confiance (K)
- Se dire des choses positives et encourageantes par rapport à eux-mêmes ou une situation (A^d).

La qualité du dialogue intérieur est très importante car c'est la qualité de ce que nous nous racontons dans notre tête. Les approches de pensée positive nous encouragent à le nourrir par pensées lumineuses et harmonieuses et les approches de méditation et de centrage en favorisent l'apaisement et le silence afin d'être disponibles pour écouter la voix du cœur.

Les mouvements des yeux indiquent le processus que nous utilisons pour aller à la recherche interne de l'information ou pour activer une création. La connexion de la position des yeux avec le cerveau est très rapide, souvent instantanée. En observant attentivement, nous pouvons percevoir la cohérence entre les paroles dites et ce qui se passe à l'intérieur de la personne

Par exemple, le tableau 15 illustre quelques scénarios de réaction des enfants suite à la réception d'une consigne pour ramasser les jouets ou le matériel qui a servi à une activité.

Il est facile d'imaginer des milliers d'autres scénarios. Il est intéressant de pouvoir accompagner un enfant qui reste « coincé » dans une image, un son ou un ressenti qui l'amène à tourner en rond dans une réaction insatisfaisante pour lui-même et les autres.

Les tableaux 16 et 17 proposent quelques scénarios d'enfants qui ont un projet à réaliser et une matière scolaire à apprivoiser.

L'aisance à décoder le mouvement des yeux permet de leur proposer d'utiliser leurs stratégies satisfaisantes plus souvent dans leur vie. Ainsi dans l'exemple 4 du tableau 15, nous pourrions rappeler respectueusement à cet enfant où vont les choses, s'il semble hésiter. Dans l'exemple 1, nous pourrions suggérer à cet enfant d'entendre les consignes avec des voix amusantes et encourageantes pour lui. Dans l'exemple 2, nous

	YEUX	EXEMPLES DE CE QUI SE PASSE À L'INTÉRIEUR DE L'ENFANT
Tableau 15		
Stratégies internes suite à une consigne pour ramasser des jouets		
1	V^r	L'enfant se rappelle les images de la dernière fois qu'il a ramassé les jouets ou le matériel
	A^r	Il réentend cette consigne qui lui a déjà été dite plusieurs fois
	K	Il se sent inconfortable.
	A^d	Il se dit à lui-même « ah non ! J'ai pas le goût de ramasser » et avance en bougonnant
2	V^r	L'enfant se rappelle les images des endroits où il va ranger les jouets ou le matériel
	A^r	Il se rappelle les félicitations qu'il a reçues la dernière fois
	A^d	Il se dit à lui-même « je suis fier de moi »
	K	Il relève la tête avec confiance et passe à l'action
3	V^r	L'enfant se rappelle les images de l'espace en ordre
	A^r	Il se rappelle que quelqu'un lui a déjà dit où allait chaque chose
	A^d	Il se dit à lui-même « bon je sais où ça va » et il ramasse
4	A^d	L'enfant se dit à lui-même « j'ai oublié où étaient placés les jeux ou le matériel au début »
	V^c	Il imagine comment il pourrait les placer
	K	Il se fait confiance et les range à sa façon ou il hésite et regarde ce que les autres vont faire
5	K	L'enfant ressent s'il est content ou pas de ramasser les jeux ou le matériel
	V^c	Il imagine ce qu'il voudrait maintenant ou plus tard
	A^d	Il se dit à lui-même « je pourrai jouer encore demain » ou « je veux continuer à jouer »
	A^c	Il imagine ce qu'il pourrait dire ou ce que les autres vont dire selon son choix

pourrions renforcir le sentiment positif et lui proposer une expérience de collaboration en lui disant « Bravo, tu as bien rangé les jouets. Si tu veux, tu peux encourager Mathieu maintenant. »

	YEUX	EXEMPLES DE CE QUI SE PASSE À L'INTÉRIEUR DE L'ENFANT
Tableau 16		
Stratégies internes suite à une invitation à réaliser un projet		
1	V^r	L'enfant se rappelle les projets qu'il a déjà réalisés
	A^r	Il se rappelle les explications et consignes déjà reçues et vérifie si c'est la même chose que maintenant
	K	Il choisit un sujet qui l'intéresse et sent qu'il est capable de réussir ce nouveau projet
	A^d	Il se dit à lui-même qu'il est content et qu'il aime cela
2	V^c	L'enfant imagine le projet qu'il voudrait réaliser.
	A^r	Il vérifie si cela est en accord avec ce qui lui a été demandé verbalement
	A^d	Il se dit à lui-même qu'il aimerait mieux ceci ou cela ou…
	K	Son état personnel reflète la cohérence ou la différence entre ce qu'il veut et ce qui lui est demandé
3	V^r	L'enfant se rappelle un livre dans lequel il a vu l'information qui va lui être utile
	A^r	Il se rappelle les consignes pour emprunter un livre et comment il peut l'utiliser
	A^d	Il se dit à lui-même qu'avec ce livre, il est capable de commencer son projet
4	A^d	L'enfant se demande à quoi ça sert ce qu'on lui demande
	V^c	Il regarde où ça va le mener s'il le fait ou non
	K	Il écoute son ressenti pour collaborer ou résister si cela n'a pas de sens pour lui
5	K	L'enfant est enthousiaste avec cette nouvelle expérience
	V^c	Il s'imagine dans la peau des personnages ou animaux qu'il va découvrir
	A^d	Il se parle à lui-même comme s'il était dans leur peau et il se raconte l'expérience pas à pas
	A^c	Il s'imagine en train de raconter ce qu'il a appris de son expérience à d'autres personnes

Nous pourrions explorer une multitude d'autres scénarios et de combinaisons de stratégies. Il n'y a pas de recettes magiques pour décoder cela. Il y a simplement le développement de

Tableau 17 **Stratégies internes pour apprivoiser une matière scolaire**		
	YEUX	EXEMPLES DE CE QUI SE PASSE À L'INTÉRIEUR DE L'ENFANT
1	V^r	L'enfant se rappelle qu'il a déjà fait des exercices semblables
	A^r	Il se rappelle les explications qu'il avait reçues
	K	Il se sent capable de réussir ou comment il s'est senti la dernière fois qu'il a demandé des explications
	A^d	Il se dit que cela va être facile, qu'il peut demander des explications ou qu'il est mieux de se taire pour ne pas faire rire de lui
2	V^c	L'enfant cherche une nouvelle façon de faire ou de nouvelles solutions
	A^r	Il se rappelle que quelqu'un lui a déjà parlé des inventeurs, des découvreurs, des artistes, des génies…
	A^d	Il se demande à lui-même « comment est-ce que je pourrais…? »
	K	Quand il sent l'inspiration, il expérimente et découvre ce que cela lui apprend
3	V^r	L'enfant se rappelle ce qu'il a déjà vu à ce sujet
	A^r	Il se rappelle ce qu'il a déjà entendu à ce sujet (appréciation, jugements, enthousiasme, dégoût…)
	A^d	Il se dit qu'il est « pareil à… », qu'il va réussir ou échouer, qu'il est bon ou nul…
4	A^d	L'enfant s'explique intérieurement ce qu'il est en train d'apprendre
	V^c	Il cherche et trouve une façon de se représenter et de visualiser la matière qu'il est en train d'apprendre
	K	Il sent si cela a du sens pour lui et s'il a bien compris, sinon il continue ou démissionne selon son état
5	K	L'enfant sent son degré d'enthousiasme envers cette matière et son goût de l'apprivoiser ici et maintenant
	V^c	Il imagine des façons amusantes de la découvrir ou des façons ingénieuses de s'esquiver s'il résiste
	A^d	Il se dit qu'il est génial et qu'il est fier de lui, qu'il déteste… ou que ça ne lui convient pas
	A^c	Il entend le son que cela va produire (musique, présentation…) ou ce que les autres vont dire autour de lui

l'observation et l'écoute du ressenti du cœur pour savoir quand c'est approprié d'intervenir ou préférable de laisser l'enfant continuer son expérience et demander lui-même l'aide nécessaire lorsqu'il sera prêt à la recevoir.

Tous ces scénarios d'observation permettent simplement de mieux comprendre comment les enfants vivent ce qu'ils vivent. Lorsqu'un enfant ou un adulte semble tourner en rond dans une émotion désagréable, un état renfermé ou dépressif, nous observons souvent que leurs regards se promènent interminablement vers le sol. Que ce soit vers la droite ou la gauche, ils sont en train de se noyer dans cette émotion ou en train de se répéter les mêmes rengaines. Une façon simple de désamorcer ce cercle vicieux est d'attirer leur attention vers le ciel, le plafond ou quelque chose qui est en haut. Leur cerveau reçoit alors un nouveau signal qui fait appel à d'autres ressources intérieures et souvent plus de détachement et de recul par rapport à ce qui est vécu. Il est plus facile ensuite d'aborder le sujet et de trouver des solutions satisfaisantes au moment approprié.

À l'inverse, il y a des enfants et des adultes qui ont beaucoup de difficultés à entrer en contact avec leurs émotions et leurs ressentis. Ces personnes regardent rarement dans la région du ressenti et quand ils le font, c'est généralement très bref. Le fait d'apprivoiser le regard dans cette position pendant quelques secondes génère souvent beaucoup d'inconfort, mais s'ils le choisissent, ce petit exercice quotidien simple leur permet de rétablir quelques connexions graduelles avec leurs ressentis.

Le choix conscient de la position des yeux peut aussi permettre d'aller chercher des forces à l'intérieur de nous. Lorsque les enfants ont une présentation à faire ou quelque chose à dire et qu'ils ont le trac, il peut être utile de leur proposer de baisser les yeux quelques instants, d'entrer en contact avec le ressenti d'une autre fois dans leur vie où ils ont eu confiance en eux, d'écouter les paroles d'encouragement ou de sagesse qu'ils se sont dites à eux-mêmes et ensuite de relever les yeux graduellement en respirant calmement. S'ils ne trouvent pas une expérience vécue qui est satisfaisante pour eux, ils peuvent l'inventer et la ressentir. Ils peuvent alors parler et regarder les gens devant eux avec beaucoup plus de sérénité. S'ils se sentent impressionnés par le nombre de personnes qui les regardent, ils peuvent imaginer qu'il y a plusieurs fois une personne devant eux. Ils peuvent imaginer une connexion de leur cœur avec le cœur du groupe ou une multitude d'arc-en-ciel avec le cœur des personnes présentes. Cela leur permet de regarder les gens en les regardant avec confiance et de partager plus facilement ce qu'ils veulent exprimer.

Dans le contexte scolaire, les enfants ont souvent appris ou reçu beaucoup d'information en observant une démonstration, ce qui est écrit sur un tableau ou un écran et en écoutant une personne en parler. Leur regard est alors dirigé devant eux la plupart du temps. Dans le contexte de travaux écrits ou d'examens, ils ont souvent leurs regards tournés vers le bas et ils ont parfois des blancs de mémoire. Dans ces moments la frustration (K) et le dialogue intérieur (A^d) « s'énervent ». Ils peuvent tout simplement relever les yeux et regarder au plafond vers la gauche (V^r) quelques instants ou à hauteur de leurs yeux (A^r) pour se rappeler ce qu'ils ont déjà vu et entendu. Nous le faisons tous intuitivement à l'occasion. Le fait de le rappeler aux enfants contribue à leur rappeler cette maîtrise d'eux-mêmes et de leurs ressources intérieures.

L'EXPRESSION ET LE LANGAGE DES SENS

Si nous avons l'intuition, la clairvoyance, la clairaudience et la clair-sentience pour voir, écouter et accueillir le langage et le ressenti du cœur, nous avons également des yeux pour voir, des oreilles pour entendre, un nez pour sentir, une bouche pour goûter et un corps pour toucher et ressentir la vie sur la Terre. Les expériences humaines bien équilibrées intègrent la participation de tous les sens. Dans les situations disharmonieuses, un des sens est parfois court-circuité par quelque chose que nous ne voulions pas voir, entendre, ressentir, sentir ou goûter. Lorsque ces situations se présentent avec les enfants, le vocabulaire utilisé, le mouvement des yeux, le langage du corps, l'énergie et l'intégration à la vie sur la Terre nous offrent des indices intéressants pour les accompagner dans leur expérience et le ressenti du cœur.

L'EXPÉRIENCE DES SENS

Même si nous avons tous les mêmes organes des sens du corps et du ressenti du cœur, ils sont développés dans un équilibre différent pour chacun d'entre nous. Nous pouvons par exemple avoir un sens particulièrement sensible et un autre plutôt endormi. Cela veut simplement dire que nous sommes plus confortables avec un sens comme la vue, l'ouïe ou le ressenti dans un contexte ou un moment de notre vie. Cela ne veut pas dire que nous sommes visuels, auditifs ou kinesthésiques. Notre identité est que nous sommes des Êtres d'Amour et cela est éternel. L'expérience des sens avec un corps physique est une expérience de notre comportement qui évolue sur la Terre.

SENS			DESCRIPTION
V	Vue	Visuel	Images, perspectives, regards
A	Ouie	Auditif	Sons, voix, musiques
K	Ressenti	Kinesthésique	Toucher, contacts, sentiments
O	Odorat	Olfactif	Odeurs, arômes, parfums
G	Goût	Gustatif	Saveurs
	Cœur	Ressenti du cœur	Intuition, sens du cœur

Tableau 18
L'expérience des sens

Le sens avec lequel nous sommes plus confortables à une période de notre vie est appelé notre sens privilégié. C'est le sens avec lequel il nous semble plus facile de nous représenter nos expériences et de communiquer avec les autres.

L'EXPÉRIENCE VISUELLE

La personne qui est plus confortable avec le sens visuel :
- Est sensible à la partie visuelle de l'environnement, au décor, à l'ordre et au désordre
- A le sens de l'observation et de l'orientation
- A une bonne mémoire du visage, de la physionomie et de l'écriture des gens
- Parle parfois un peu vite et oublie de préciser où elle veut en venir
- A un bon esprit de synthèse et de perspective globale
- Apprend en regardant
- Comprend une notion quand elle peut s'en faire une image

- Apporte des anecdotes et invente des métaphores pour illustrer ce qu'elle raconte
- Dessine, souligne ou gribouille souvent, fait des graphiques, schémas, images… en couleurs
- Préfère une éducation ou les cours avec illustrations, dessins, schémas, graphiques, documents
- Préfère les cahiers et documents bien présentés
- Préfère les interventions claires et des explications courtes avec notes et schémas
- A avantage à tempérer sa rapidité de jugement au premier coup d'œil
- A avantage à conserver une dimension humaine à leur image du monde parfois très détachée
- A avantage à se rappeler qu'elle a aussi un corps, avec des sensations, sentiments, besoins…

L'EXPÉRIENCE AUDITIVE

La personne qui est plus confortable avec le sens auditif :
- Est sensible à la partie sonore de l'environnement, aux bruits, bavardages, sons, musiques
- A la mémoire du nom et de la voix des gens
- Aime parler, chuchoter, raconter, chanter, jouer avec les mots, s'écouter parler, argumenter
- A une écoute intuitive
- Aime les cours structurés, planifiés, exposés en termes précis, réfléchis
- Oublie de prendre des notes, commente les consignes et garde son "walkman"
- Fait des travaux/rapports qui ressemblent parfois à un brouillon aéré.

- Comprend quand elle trouve les mots pour dire ce qu'elle a à dire.
- Préfère une explication pour guider son raisonnement et dire à voix haute ce qui est écrit
- A avantage à mettre un titre à ses documents ou une phrase résumant l'essentiel
- A avantage à être plus concise et ajouter des messages visuels dans ses paroles
- A avantage à ajouter des sensations et une expression vivante dans ce qu'elle dit

L'EXPÉRIENCE KINESTHÉSIQUE

La personne qui est plus confortable avec le sens kinesthésique :
- Est sensible au ressenti dans les contacts avec l'environnement, les gens, l'ambiance, le confort
- Contacte le monde par son corps
- A une sensibilité qui est un atout pour communiquer de manière vivante
- A une intuition très fine et suit son inspiration pour improviser
- A une attitude passionnée et se laisse parfois emporter par les émotions
- Aime les coups de cœur et sait créer l'émotion
- Bloque son ressenti lorsqu'il y a des impressions négatives et utilise plus les perceptions visuelles et auditives pour faire le point et adapter son comportement
- Comprend quand elle expérimente et "sent" les choses
- Raisonne par association d'idées, a plein de bon sens... parfois un peu trop

- Apprend avec des expériences concrètes, des preuves tangibles, des arguments de poids
- A la bougeotte occasionnelle, arpente l'espace, mime, est volontaire pour rendre les services nécessitant un déplacement, a besoin de prendre des notes et de gribouiller
- A avantage à dire clairement comment elle se sent
- A avantage à établir une liaison claire entre les idées, résumer et exprimer l'essentiel
- A avantage à faire des pauses en parlant pour se recentrer et éviter de passer du coq à l'âne
- A avantage à demander et écouter ce que les autres ont à dire et à leur montrer

L'EXPÉRIENCE OLFACTIVE ET GUSTATIVE

La personne qui est plus confortable avec les sens olfactif et gustatif :
- Utilise son odorat et son goût pour donner un sens à son expérience
- Préfère intégrer dans son travail des éléments où odeurs et goûts ont leur place (industrie alimentaire, promenade en forêt, dégustation, parfumerie,...)
- Préfère sentir qu'elle a des choix variés pour mieux retenir ce qu'elle apprend.

L'EXPÉRIENCE DU DIALOGUE INTÉRIEUR (PETITE VOIX QUI PARLE DANS NOTRE TÊTE)

La personne qui est plus confortable avec le dialogue intérieur :
- Est sensible à sa conversation intérieure

- Réfléchit beaucoup et souvent : la raison l'emporte sur la passion
- Se dit souvent qu'elle aurait dû agir autrement
- Retourne les problèmes dans son esprit jusqu'à ce qu'elle trouve une solution acceptable
- Doit demeurer vigilante car le dialogue intérieur entraîne parfois loin de la réalité
- A l'impression de vivre au ralenti car les perceptions sensorielles sont immédiatement traduites en mots et elle se raconte la vie plutôt que de la vivre
- A avantage à élargir son champ d'attention et voir, entendre, ressentir la vie autour d'elle
- A avantage à cultiver des pensées positives
- A avantage à apprendre à faire un silence intérieur par la méditation, le yoga, la respiration, la contemplation.

Une étude américaine réalisée par Grinder et Bandler avait démontré il y a quelques années que 40 % des gens étaient plus confortables avec le sens visuel, 40 % avec le sens auditif et 20 % avec le sens kinesthésique. La génération des nouveaux enfants a des aptitudes kinesthésiques de plus en plus développées et cela implique des ajustements et transformations pour les accompagner autant au niveau de la communication que dans l'éducation et l'évolution des activités qui les intéressent. L'apprentissage qui commence par de longues théories les ennuie profondément : ils préfèrent expérimenter et apprendre la théorie en lien avec ces expériences. Un exemple amusant de cela est d'observer ce qui arrive lorsque nous amenons un nouvel ordinateur ou jeu dans la maison : alors que la majorité des adultes commencent par lire le manuel d'instructions, plusieurs enfants expérimentent intuitivement et nous disent comment faire et ce qu'ils ont appris. Plusieurs décrocheurs scolaires préfèrent cette façon d'apprendre qui est plus concrète et qui a plus de sens pour eux.

Quelques questionnaires permettent d'identifier facilement nos sens les plus confortables dans certains contextes et à un moment de notre vie. Cependant dans la vie quotidienne, nous nous promenons rarement avec un petit test en poche à proposer à ceux que nous rencontrons. Une façon facile de le dépister est par l'observation du vocabulaire et de certaines façons d'être.

Voici quelques exemples : imaginons que nous invitons une personne à nous rendre visite et que nous devons lui expliquer comment venir chez nous. Certaines personnes préfèrent être guidées avec une carte routière, un schéma, des instructions écrites et des repères visuels alors que d'autres préfèrent que nous leur expliquions le chemin de vive voix. Ceux qui sont plus à l'aise avec le kinesthésique utiliseront les supports visuels et les explications que nous leur donnons mais ils se sentiront confortables lorsqu'ils auront fait le trajet de façon réelle au moins une fois, et ensuite ils pourront revenir ou retrouver leur chemin intuitivement.

Une autre façon simple est de penser aux critères que nous utilisons lorsque nous achetons des vêtements. Certaines personnes choisissent leurs vêtements lorsqu'elles se voient dans un miroir et que cela correspond à l'apparence et au style qu'elles souhaitent. D'autres les choisissent surtout lorsqu'ils entendent quelqu'un leur dire que ça leur va vraiment bien. Pour les autres le critère principal est le confort et les vêtements qui sont inconfortables pour eux restent dans le tiroir ou la garde-robe !

Nous pouvons aussi écouter la façon dont nous racontons un événement. Pour un spectacle par exemple, certains décriront le décor, les couleurs, les personnages, les costumes, les lieux et ils montrent le programme de la soirée ou l'affiche qu'ils ont rapportée. D'autres décriront ce qui a été dit, les voix des personnages, la musique, l'intensité du rire, le silence à un moment crucial ou le bruit de la « madame d'à côté qui mangeait ses croustilles ». D'autres raconteront le plaisir qu'ils ont eu, l'ambiance qui régnait, l'énergie qui était présente, le bien que cela leur a fait, les émotions que cela a éveillées en eux ou le confort des chaises où ils étaient assis.

FAVORISER UNE EXPÉRIENCE ÉQUILIBRÉE

Dans la réalité, nous utilisons une combinaison de tous nos sens. Nous pouvons proposer aux enfants des jeux pour équilibrer leurs expériences sensorielles et ressentir le plaisir de voir, entendre, sentir, goûter, toucher et ressentir la vie autant avec leur corps qu'avec leur cœur.

Si nous prenons l'exemple d'une promenade en forêt :

- Nous pouvons les inviter à choisir un arbre qu'ils trouvent particulièrement beau, un arbre qui les attire, qui leur parle et de regarder la silhouette, la forme et la couleur du tronc, de l'écorce, des feuilles, la hauteur de l'arbre... et tout en regardant les feuilles qui bougent, entendre la musique du vent dans les feuilles, le chant des oiseaux, les sons de la forêt, de coller son oreille sur l'arbre... et tout en écoutant le mouvement de la sève, sentir le vent qui caresse son visage, la chaleur du soleil sur sa peau, respirer l'odeur de la forêt...

- Nous pouvons aussi les accompagner pour voir ou sentir l'aura de l'arbre, l'ampleur et la fluidité de l'énergie qui circule dans une branche en santé, malade ou morte, la variation de l'aura avec les saisons...

- Nous pouvons leur proposer de trouver avec leurs mains la position du cœur de l'arbre, de faire le tour à cette hauteur pour en trouver « la porte d'entrée », l'écouter lui parler et écrire ou dessiner ce qui lui est inspiré.

- Nous pouvons inviter les enfants à s'asseoir à la base de l'arbre, à appuyer leurs têtes contre son tronc, se reposer et ressentir ce qui se passe en eux, à expérimenter avec des arbres différents et sentir comment chaque arbre peut les aider à harmoniser leur énergie lorsqu'ils le demandent.

- Nous pouvons les inviter à voir, entendre, sentir, ressentir avec le cœur la vie du « petit monde » de la forêt, à découvrir les gnomes, les elfes, les fées et les esprits de la nature, à entrer en contact avec eux et partager la sagesse pour prendre soin de la Terre et de nous en même temps.

Ces genres de scénarios offrent plusieurs facettes d'une expérience plus complète de la promenade en forêt. Un cercle de sagesse permet ensuite aux enfants de partager leurs observations et ce qu'ils ont appris. Dans la troisième dimension de la Terre, l'expérience des sens physiques a souvent été le moteur de nos actions. Dans la cinquième dimension c'est le ressenti du cœur qui va guider nos actions et l'expérience des sens physiques sera une façon d'apprécier l'Amour matérialisé dans un paradis terrestre.

Dans les situations où les enfants ont des difficultés ou une résistance persistante, il y a presque toujours un ou deux sens qui sont absents dans leur façon d'en parler. Cela donne des indices pour comprendre que dans ce genre d'expérience, il y a quelque chose qui leur parait difficile ou qu'ils ont peur de voir, d'entendre, de sentir, de goûter ou de ressentir à ce moment précis. Dans la majorité des expériences choc ou de traumatismes significatifs, les perceptions et les peurs court-circuitent temporairement ce qui a été perçu par les sens. Nous disons pour décrire ces situations qu'il y a eu un « black out » ou un espace de vie occulté dans l'inconscient. Un accompagnement spécialisé peut graduellement permettre aux enfants qui vivent cela de ramener l'harmonie dans leurs perceptions de ces expériences lorsqu'ils sont prêts et qu'ils le demandent. Ils peuvent alors en accueillir les leçons de sagesse et s'ouvrir encore plus à la vie.

LE VOCABULAIRE DES SENS

Si nous regardons dans les dictionnaires, nous voyons des milliers de mots qui sont classés par ordre alphabétique, dont plusieurs reliés aux sens. Il y a des mots visuels reliés au sens de la vue, des mots auditifs reliés à l'ouïe, des mots olfactifs reliés à l'odorat, des mots gustatifs reliés au goût et des mots kinesthésiques reliés au ressenti, à l'expérience et au toucher. Par exemple :

La vue

- Je _vois_ ce que tu veux dire
- Ce _regard_ m'amène une nouvelle _perspective_
- C'est tellement _clair_ que c'est presque _aveuglant_
- Tu _brilles_ par ta simplicité
- L'_image_ que j'ai pour décrire cela...

L'ouie

- Ce qu'il *dit* m'amène à *me demander*...
- J'*écoute* mon intuition
- Quand j'*écoute* mon cœur, j'*entends* la *voix* de la sagesse
- Il y a plus d'*harmonie* entre nous
- Le *silence parle* par lui-même

Le toucher – Le ressenti kinesthésique

- J'*aime* porter ce chandail, il est *doux, chaud* et *confortable*
- J'ai *l'impression* de me *sentir étouffé...heureux...triste... joyeux...*
- J'aimerais avoir de la *chaleur* et de la *douceur* dans mes relations avec toi
- C'est *bon* de donner et de recevoir un gros câlin et de sentir mon cœur *heureux*
- Je suis en *contact* avec mes *sentiments* et *émotions...*

L'odorat

- Je sens l'*odeur* du changement
- Il y a un *parfum* de liberté dans l'air
- Ça me rappelle l'*arôme* qui flottait dans la maison de mon enfance...

Le goût

- Ce repas est *assaisonné* à mon *goût* et tout à fait *savoureux*
- Juste à y penser, j'en ai l'eau à la *bouche...*
- Les petits becs *sucrés...* c'est plus que du bonbon !

Le prochain tableau donne quelques exemples des noms, adjectifs, verbes et expressions reliées aux sens. Dans le vocabulaire, il y a aussi des mots qui ne sont reliés à aucun sens ou ressentis du cœur. Ce vocabulaire est appelé « non spécifique ». Par exemple :

Non spécifique

- Je *pense* qu'il *comprend*
- J'aimerais *savoir* de quoi il s'agit
- Je *crois* qu'il est capable d'*apprendre*
- C'est important de m'en *souvenir*
- Je *considère* que c'est une bonne idée

Lorsque nous écoutons les personnes qui utilisent abondamment ce vocabulaire, nous oublions plus rapidement ce qu'elles ont dit. C'est ce qui arrive parfois à la suite d'une conférence, une présentation, un discours ou une conversation et qu'en rentrant à la maison, nous avons un blanc de mémoire et de la difficulté à nous rappeler ce que l'autre nous a dit, même si le sujet et la rencontre étaient très intéressants. Il est beaucoup plus facile de se rappeler ce qui établit une connexion avec nos sens et notre ressenti du cœur.

Lorsque les enfants utilisent beaucoup de vocabulaire non spécifique, nous pouvons leur demander de préciser en utilisant le vocabulaire non spécifique sous forme de question. Par exemple, nous pouvons leur demander : « comment sais-tu que… ? », « penses-tu que… ? » ou « crois-tu que... ? » Cela les amène souvent à établir une connexion avec un sens pour répondre « je me *dis* que… », « je *vois* que… » ou « je *sens* que... ». Ils peuvent alors exprimer plus clairement ce qu'ils ont à dire.

Lorsque nous leur demandons « comment ça va *dans telle situation* ? », certains enfants semblent aussi avoir un éventail de réponses qui ressemble à « bien, très bien, mal ou très mal ». Nous pouvons leur demander « ça va bien comment ? ... qu'est-ce qui est bien ? », ce qui les amène à être plus explicites sur ce qui est perçu comme « bien » pour eux. Nous pouvons alors y reconnaître des forces et les pas parcourus, et les encourager à continuer d'écouter leur cœur.

Plus il y a de flexibilité et de fluidité dans le vocabulaire d'approche avec les enfants, plus cela favorise la connexion avec leurs ressentis et leurs corps les deux pieds sur la Terre. C'est un exercice efficace pour ouvrir l'esprit et développer une vision plus large de la vie. Le tableau 19 propose quelques suggestions pour mieux reconnaître et utiliser le vocabulaire des sens.

Nous pouvons proposer aux enfants un jeu d'observation pour repérer ces différents mots à la radio, télévision, dans les livres, le journal, une conversation et dans leur propre langage.

ÉLARGIR LA PORTÉE DE CE QUE NOUS PARTAGEONS AVEC LES ENFANTS

Nous comprenons maintenant pourquoi certains enfants préfèrent voir une démonstration, regarder ou lire ce qui est écrit, alors que d'autres préfèrent parler de vive voix et recevoir les explications verbalement ou préfèrent simplement expérimenter ce que nous leur proposons et découvrir ce qu'ils apprennent.

Bien que l'idéal soit de permettre aux enfants de développer l'équilibre avec tous les sens et ressentis du cœur, il est parfois approprié de parler aux enfants en utilisant leur sens privilégié. L'accompagnement, les compliments et les encouragements ont ainsi une plus grande portée.

Tableau 19
Le vocabulaire des sens

Le vocabulaire visuel... ce que le corps expérimente par les yeux

Noms	Image, aspect, reflet, couleur, représentation, photo, écran, aspect, spectacle, nuage, graphique, vue, regard, panorama, perspective, tableau, éclair, cliché, scène, flash, façade, illumination, éclaircissement, voie, visionnaire, vision, optique, angle, horizon, illusion...
Verbes	Voir, prévoir, percevoir, apercevoir, concevoir, entrevoir, revoir, apparaître, regarder, observer, visualiser, lire, imaginer, remarquer, montrer, cadrer, cacher, clarifier, éclairer, colorer, discerner, noircir, assombrir, figurer, focaliser, peindre, scruter, illustrer, afficher...
Adjectifs	Flou, clair, sombre, lumineux, brillant, vague, net, coloré, grand, petit, ouvert, fermé, isolé, éloigné, près, géant, minuscule, démesuré, immense, envahissant, étroit, large, voyant...
Expressions	Au revoir, mettre au point, tour d'horizon, à première vue, toile de fond, voir la vie en rose, en noir et blanc, point de vue, faire la lumière, en mettre plein la vue, voir sous son vrai jour, m'as-tu-vu, être au clair, il n'y a pas plus aveugle que celui qui ne veut pas voir, se regarder les yeux dans les yeux, avoir les yeux grands ouverts, en voir de toutes les couleurs, avoir l'esprit plus large, voir plus loin que le bout de son nez...

Le vocabulaire auditif... ce que le corps expérimente par les oreilles

Noms	Sons, voix, dialogue, écho, musique, bruit, silence, ouïe, murmure, accord, désaccord, longueur d'onde, déclic, vocal, monologue, dialogue, langage, parole, discours, chuchotement, malentendu, tintamarre, audience, commérage, ton, bavardage, cacophonie, mésentente, audition, diapason, chanson, accord, timbre, harmonique, note, octave, rythme, tonalité, mélodie, symphonie...
Verbes	Entendre, écouter, dire, parler, répéter, demander, dialoguer, discuter, raconter, résumer, jaser, mentionner, informer, annoncer, déclarer, questionner, interroger, articuler, amplifier, crier, hurler, râler, taire, marmonner, appeler, téléphoner, chanter, turluter, sonner, résonner..

Tableau 19 (suite) **Le vocabulaire des sens**	
Le vocabulaire auditif... ce que le corps expérimente par les oreilles	
Adjectifs	Résonnant, aigu, perçant, oral, musical, discordant, volubile, silencieux, bruyant, parlant, sonore, sourd, muet, bavard, mélodieux, dissonant, inouï, vocal...
Expressions	Prêter l'oreille, écho favorable, en avoir plein les oreilles, à voix haute, avoir la puce à l'oreille, bien entendu, autrement dit, se faire entendre, donner le ton, casser les oreilles, réduire au silence, être au diapason, sans tambour ni trompette, faire la sourde oreille, un son de cloche, il n'y a pas plus sourd que celui qui ne veut pas entendre, arriver à s'entendre, jouer sur toute la gamme…
Le vocabulaire kinesthésique... ce que le corps expérimente **par le toucher et le ressenti**	
Noms	Sentiment, sensation, caresse, état, émotion, frustration, colère, choc, pression, tension, impact, flux, solide, désir, relaxation, détente, respiration, gravité, texture, charge, poids, contact, mouvement, équilibre, température, prise, stress, calme, joie, bonheur, amour, paix, légèreté, douceur...
Verbes	Ressentir, toucher, saisir, sentir, frapper, libérer, étouffer, échapper, taper, palper, danser, bousculer, tenir, écraser, souligner, agripper, flotter, serrer, trancher, bûcher, tâter, tâtonner, froisser, amortir, s'appesantir, fléchir, presser, imprégner, relaxer, s'éclater, tâtonner, stabiliser, bouger, prendre, caresser,...
Adjectifs	Furieux, gentil, léger, lourd, chaud, froid, agressif, doux, engourdi, éveillé, émouvant, plein, joie, ferme, mou, sensible, insensible, blessé, chaleureux, détendu, relaxé, solide, chatouilleux, chaleureux, accueillant...
Expressions	Toucher du doigt, avoir les pieds sur terre, avoir le cœur sur la main, prendre à cœur, prendre son pied, en avoir plein le dos, avoir main mise sur, saisir une occasion, avoir l'impression, mettre le doigt sur, saisir la balle au bond, le gros bon sens, avoir la chair de poule, c'est « tripant », c'est « cool », c'est « hot »...

Tableau 19 (suite) Le vocabulaire des sens	
Le vocabulaire olfactif... ce que le corps expérimente par le nez	
Noms	Odeur, arôme, parfum, senteur, fumet, fragrance...
Verbes	Parfumer, flairer, sentir, puer, renifler, respirer, étouffer, asphyxier, humer, embaumer, exhaler, inspirer, expirer...
Adjectifs	Parfumé, odoriférant...
Expressions	Ça sent le roussi, être au parfum, l'argent n'a pas d'odeur, ça se voit comme un nez en plein milieu de la figure, avoir un bon pif, avoir du nez, prendre une grande respiration, respirer par le nez...
Le vocabulaire gustatif... ce que le corps expérimente par le goût	
Noms	Saveur, goût, dégoût...
Verbes	Goûter, savourer, déguster, saliver, avaler, digérer, nourrir...
Adjectifs	Salé, sucré, délicieux, amer, acide, aigre, doux, acre, rance, sec, juteux, tendre, dur, croustillant, savoureux...
Expressions	C'est du gâteau, boire les paroles de l'autre, croquer la vie à pleines dents, avoir l'eau à la bouche...

Une façon d'illustrer cela est d'imaginer la rencontre d'un Chinois et d'un Italien. Si le Chinois et l'Italien souhaitent se comprendre dans le langage des mots, il est nécessaire qu'ils se familiarisent avec le vocabulaire de l'autre, c'est-à-dire que le Chinois apprenne certaines bases de la langue italienne et vice-versa. Les personnes polyglottes ont le plaisir de pouvoir parler avec ceux qui ont des langues maternelles différentes et d'entrer plus facilement en contact avec de nombreuses cultures.

Ils peuvent aussi se comprendre par télépathie et le ressenti du cœur : de nombreux enfants de diverses nationalités qui jouent ensemble et qui se comprennent sans parler le même langage en est un exemple courant. C'est le mode de communication qui se développe et va s'intégrer dans la cinquième dimension. Pour l'instant nous communiquons encore avec des mots sur la Terre pour partager ce que nous vivons. Les personnes qui ont développé une flexibilité de langage des sens peuvent accueillir plus facilement les différentes expériences et perceptions des gens. Elles peuvent également s'exprimer de façon à être entendues et maintenir l'attention d'un plus grand nombre de personnes lors d'une conversation, d'une communication écrite ou exprimée de façon vivante par le corps.

Si nous donnons une explication à un groupe d'enfants et que nous voulons vérifier s'ils ont bien compris, nous pouvons demander « Est-ce que c'est clair ? ». Pour répondre à cette question, les enfants vont intérieurement se former une image avant de pouvoir répondre. Si le sens visuel est confortable pour eux, la réponse sera rapide. Si les enfants qui sont plus confortables avec les sens auditifs ou kinesthésiques, cela peut leur sembler plus difficile de répondre ou demander un peu plus de temps parce qu'ils traduisent cette question intérieurement pour vérifier si ça leur parle ou ce qu'ils sentent. Ils vont alors répondre quelque chose comme « ça me dit… je me demande… » ou « ça va, c'est facile… je me sens perdu… ». Parfois ils peuvent demander de répéter la question pour permettre au processus de traduction de se compléter ou ils vont dire qu'ils ne comprennent tout simplement pas la question, ou encore ils « n'entendent pas » la question.

Leurs réponses nous permettent alors de faire les ajustements de vocabulaire si une répétition semble nécessaire. Cette approche est très utile pour souligner ce qui est vraiment important ou pour faire le point périodiquement. Lorsque c'est particulièrement important d'avoir le feedback de tous les enfants, nous pouvons alors demander « Est-ce que c'est clair ? Est-ce que ça vous dit quelque chose ? Est-ce que ça a du sens pour vous ? » Nous offrons alors aux enfants une opportunité plus grande de répondre à partir de leur propre expérience.

Voici quelques exemples de façons différentes de dire quelque chose aux enfants en utilisant leurs sens privilégiés :

Tableau 20	
La flexibilité de langage sensoriel pour rejoindre tous les enfants	
Non spécifique	Est-ce que tu comprends ? (… écoute, suivi, feedback)
Visuel	Est-ce que c'est clair ?
Auditif	Est-ce que ça te dit quelque chose ?
Kinesthésique	Est-ce que ça a du sens pour toi ?
Non spécifique	C'est une excellente idée ! (…appréciation, reconnaissance)
Visuel	C'est une idée brillante ! Je vois que tu es bien inspiré !
Auditif	C'est une idée qui sonne très bien ! C'est une idée qui me parle beaucoup !
Kinesthésique	C'est une idée géniale ! Je sens que c'est une excellente idée !
Non spécifique	Explique-moi comment ça fonctionne (…reconnaissance et partage des compétences)
Visuel	Montre-moi comment ça fonctionne. Fais-moi une démonstration, je voudrais voir ça.
Auditif	Dis-moi comment ça fonctionne. Je t'écoute.
Kinesthésique	Guide-moi pour que je l'expérimente. Je veux saisir ce qui se passe quand ça fonctionne.

Tableau 20 (suite) La flexibilité de langage sensoriel pour rejoindre tous les enfants	
Non spécifique	Tu travailles bien ! (…confiance en soi, reconnaissance des compétences et du comportement)
Visuel	C'est beau à voir ! Ça permet d'observer ton talent à l'œuvre ! Je vois que tu travailles bien !
Auditif	Je te dis que tu travailles bien ! J'apprécie ta façon de nous informer et de parler avec respect !
Kinesthésique	Félicitations pour ton beau travail ! C'est bon de sentir ton cœur à l'œuvre !
Non spécifique	Laisse-moi savoir ce que tu apprécies (…reconnaissance de soi et des autres)
Visuel	C'est agréable de voir ce que tu apprécies. Je te remercie de le montrer de plus en plus souvent.
Auditif	Ça fait plaisir d'entendre ce que tu apprécies. Je te remercie d'être Toi et d'avancer en harmonie.
Kinesthésique	Ça fait du bien de sentir ce que tu apprécies. Je te remercie de partager ton sourire et qui Tu es.
Non spécifique	J'apprécie que tu exprimes qui tu es. (…estime de soi, reconnaissance des dons, forces et talents)
Visuel	Quel beau talent tu as ! C'est superbe de te voir heureux ! Merci de partager qui Tu es !
Auditif	Que c'est bon de t'entendre ! Merci de partager tes forces pour créer un monde meilleur ! Tu es !
Kinesthésique	C'est un cadeau de sentir la joie dans ton cœur ! Merci d'être toi ! Ta valeur vient de qui Tu es !

Chacun a probablement imaginé, entendu ou senti plusieurs autres façons de dire les choses en lisant ces exemples et c'est tout à fait normal. Il y a une multitude de possibilités adaptées à notre intention du cœur et à notre contexte familial, social et culturel. Dans certains cas, il peut aussi être très utile et amusant d'utiliser les mots-clés des enfants, c'est-à-dire les mots de vocabulaire qu'ils renforcent par un geste, une expression particulière du visage, un changement de posture, une variation significative de la voix, etc. Ces mots font partie de la langue de leur expérience actuelle et peuvent les rejoindre plus concrètement car ils ont un sens vivant pour eux à ce moment-ci de leur vie.

Lorsque nous observons des incohérences entre ce que les enfants disent et le message qu'ils expriment par leurs corps, cela indique souvent une expérience de dualité intérieure et le langage du corps exprime ce qui a vraiment le plus d'impact pour eux à ce moment précis de leur vie.

FAIRE ÉVOLUER OU TRANSFORMER L'IMPACT DE CE QUI EST PERÇU PAR LES SENS

L'impact des sons, images, sensations, goûts, odeurs et ressentis dépend de la façon dont nous les percevons. Ces perceptions sont enregistrées comme une multitude de détails et de programmations dans notre cerveau. Ces détails sont parfois appelés des sous-modalités sensorielles (Tableau 22). En changeant ces sous-modalités et programmations, nous pouvons faire évoluer et transformer l'impact des expériences que nous avons vécues. Cela ne change pas les événements. Cela change les effets qu'ils ont en nous afin de compléter les apprentissages et intégrer les leçons de sagesse.

Nous pouvons faire quelques activités avec les enfants en utilisant les sous-modalités sensorielles et le ressenti du cœur pour transformer les peurs, résistances et illusions et pour faire évoluer les expériences par le pouvoir de l'Amour inconditionnel. Voici quelques exemples à explorer en rotation avec des groupes de quatre enfants, soit un enfant explorateur et trois enfants qui observent les changements sur l'expression du visage, des yeux et le reste du corps:

Tableau 21 Les sous-modalités sensorielles	
Visuel	Luminosité, clarté, noirceur, contraste, couleur, brillance, mat, flou, mouvement, profondeur, cadre, étendue, panorama, film, nombre d'images, durée des images, foyer, précision, distance, localisation, zoom, forme, plan, transparence, densité, perspective...
Auditif	Volume, amplitude, rythme, vitesse, tonalité, timbre, résonance, écho, tempo, durée, provenance, direction, fréquence, cycle, mono, stéréo, musique, sons, mots, localisation, harmonie, discordance, continuité, vibration...
Kinesthésique	Localisation, forme, intensité, durée, température, confort, texture, dimension, volume, continuité, humidité, pression, mouvement, flexibilité...
Gustatif	Amer, aigre, sucré, acide, salé, sec, juteux, savoureux, tendre, dur, doux, croustillant, fondant...
Olfactif	Fréquence, durée, direction, intensité, continuité, quantité...

- L'explorateur regarde une image dans sa tête pendant 30 secondes, puis il change les détails de cette image (distance, dimension, couleur, luminosité...). Partager les observations et le ressenti.

- L'explorateur écoute un son ou une musique dans sa tête pendant 30 secondes, puis il change les détails de ces sons (provenance, volume, rythme, tonalité...). Partager les observations et le ressenti.

- Comme si c'était sur un écran de cinéma, l'explorateur regarde maintenant l'image ou écoute la voix d'un monstre qui lui a fait peur, puis il change les détails de ce qu'il voit ou entend. Il peut par exemple colorier le gros monstre en rose fluorescent avec des pois verts et le voir se dégonfler comme un ballon ou lui donner une voix qui le fait rire et l'entendre parler très vite ou très lentement jusqu'à ce qu'il perde son impact menaçant et éveille plutôt de la compassion. Partager les observations et le ressenti. Nous pouvons leur proposer d'en faire une bande dessinée ou une mini pièce de théâtre.

- L'explorateur peut aussi regarder l'image de ce monstre et laisser l'amour transformer cette expérience. Il peut faire un arc-en-ciel de son cœur au cœur du gros monstre et lui dire « Ah je t'ai reconnu, tu es un Ange déguisé en gros monstre ! Tu peux maintenant enlever ton costume et le retourner dans l'Amour. » En observant ce qui se passe, il peut bénir et remercier cette expérience qui a fait grandir sa force d'Amour. Avec l'aide de l'Archange Michael, il peut ensuite couper les fils qui l'attachaient avec ce personnage avec une belle épée de lumière bleue et écouter le message de sagesse dans son cœur. Partager les observations et le ressenti.

- L'explorateur peut aussi regarder l'image de ce monstre et laisser l'Amour transformer cette expérience d'une autre manière. Il peut s'imaginer dans un grand canal de lumière blanche dorée qui connecte son cœur avec le cœur de la Terre et le cœur du soleil dans le milieu de l'univers. Il peut aussi imaginer la même chose pour le monstre. En observant ce qui se passe dans ses sentiments, il peut ensuite bénir et remercier cette expérience qui a fait grandir sa force d'Amour. Avec l'aide de l'Archange Michael il peut couper les fils qui l'attachaient avec ce personnage avec une belle épée de lumière bleue et écouter le message de sagesse dans son cœur. Partager les observations et le ressenti.

- Nous pouvons inviter les enfants à écouter d'où vient la voix qui leur dit des choses gentilles qui les encourage et qui apporte de la paix intérieure quand ils se parlent. Nous pouvons ensuite les inviter à écouter d'où vient la voix qui apporte des idées négatives et qui nourrit des sentiments désagréables à leur sujet ou au sujet des autres. Ils peuvent ensuite s'amuser à changer les détails de cette voix jusqu'à ce qu'elle perde son impact menaçant et éveille plutôt de la compassion. Partager les observations et le ressenti.

- Nous pouvons aussi les inviter à faire un arc-en-ciel de leur cœur avec la source de la voix négative et lui dire « Ah je t'ai reconnu, tu es un Ange déguisé ! Je t'aime et je t'accueille sans condition. » Ils peuvent ensuite imaginer une porte des étoiles qui donne accès à un château de purification et inviter les personnages qui parlaient négativement à y aller en demandant l'aide de l'Archange Michael. En observant ce qui se passe, ils peuvent bénir et remercier cette expérience qui a fait grandir leur force d'Amour. Ils peuvent écouter le message de sagesse et regarder le cadeau qui leur est offert dans leur cœur. Partager les observations et le ressenti.

ÉLARGIR LA VISION DES ENFANTS

Les exercices qui développent la vision périphérique sont bénéfiques pour la vision physique et aussi pour l'ouverture à voir plus large et plus loin que le bout de son nez. Ces exercices sont amusants à faire avec les enfants. En voici un exemple simple :

- Dans le calme, en position debout, les pieds bien au sol et les bras ouverts horizontalement, tourner doucement le corps vers la droite au maximum, sans forcer. Identifier un repère à l'endroit où pointe la main. Revenir à la position de départ et faire de même du côté gauche. Répéter une fois de chaque côté. Fermer les yeux et refaire l'exercice seulement en imagination sans bouger physiquement. Refaire maintenant l'exercice à droite et à gauche avec les yeux ouverts. Partager les observations et le ressenti.

LE POUVOIR DES MÉTAPHORES

Nous pouvons établir rapidement une bonne connexion avec un groupe d'enfants en leur parlant de cœur à cœur et en leur racontant une histoire avec laquelle ils peuvent s'identifier et se reconnaître et qui fait appel à tous leurs sens et ressenti du cœur. Par les personnages et aventures de cette métaphore, nous pouvons ensuite amener des idées nouvelles, des ouvertures pour qu'ils trouvent leurs propres solutions ou un exemple de quelque chose qui a déjà paru impossible et qui est aujourd'hui facile grâce à une solution simple.

Nous pouvons utiliser les histoires de plusieurs façons. Une petite histoire amenant le ressenti du cœur et l'expérience de tous les sens peut être un excellent support pédagogique. Elle peut être une façon de raconter l'histoire et la culture d'un peuple à partir d'un regard de sagesse. Elle peut aussi permettre aux enfants de vivre une expérience intérieure qui favorise la reconnaissance et l'émergence de ce qu'ils sont vraiment. Elle peut leur permettre de transformer les perceptions de ce qui leur fait peur et faire grandir leur force d'Amour. Elle peut être simplement amusante ou amener l'attention sur la beauté en toute personne et toute chose.

Nous pouvons raconter les histoires à partir de notre expérience, de l'expérience des enfants, des personnes qui nous inspirent ou de personnages fictifs. Nous pouvons aussi raconter les histoires en s'inspirant des animaux, des plantes, de la nature, de la vie, de la Terre, des planètes, des étoiles, de la vie dans l'univers, des plans de conscience en passant par les portes des étoiles, de toutes les autres formes de vie sur la Terre et sur d'autres plans. Elles peuvent être très courtes, telles une citation, une analogie ou une image pour décrire quelque chose ou plus longues comme les récits, contes et légendes. Elles peuvent être racontées avec des mots, des images, des sons, des expressions, des mouvements, des danses, des gestes symboliques, etc.

Il est intéressant de choisir les histoires inspirées par le cœur et l'âme. Elles nous aident à retrouver l'harmonie de notre pouvoir créateur divin et à l'utiliser avec sagesse. Ces histoires sont simples et transparentes. Elles permettent de nommer les choses par leurs noms et d'apporter une lumière nouvelle sur le sens de chaque expérience. Comme l'aigle qui se laisse porter par les courants d'air et dont le regard voit autant l'ensemble du territoire que les détails qui s'y trouvent, ces histoires sages nous invitent à couler en harmonie avec la vie et à regarder les expériences avec les yeux du cœur.

Pour raconter des histoires pertinentes pour les enfants, nous pouvons observer ce qu'ils nous racontent et utiliser leurs propres images. Par exemple, si quelque chose semble être une montagne pour eux, nous pouvons leur demander de décrire cette montagne et les aider à trouver les sentiers et les panneaux de direction qui vont les guider vers un chemin qui est bien pour eux, les forces et l'équipement dont ils ont besoin pour que ce soit une belle aventure, et l'effet procuré par le pouvoir de créer eux-mêmes leur chemin pour être heureux et se faire confiance en harmonie avec la vie. Nous pouvons utiliser les multiples outils de communication du langage verbal, non verbal, des sens et du ressenti que nous venons d'explorer pour recentrer leurs expériences au niveau du cœur et ramener l'harmonie là où il y a des limites, distorsions, généralisations, jeux de pouvoir, déconnexion.

Nous pouvons aussi inventer une histoire où les personnes et événements significatifs dans l'expérience concrète des enfants sont représentés par des personnages et péripéties symboliques. La sagesse du cœur peut être éveillée par un nouveau personnage ou une expérience dont le dénouement permet aux forces et à la conscience des enfants d'émerger. Cet ajout transforme la réalité du scénario initial et leur offre des possibilités pour continuer d'écrire leur propre histoire autrement. L'impact est d'autant plus grand si une connexion du cœur permet de transmuter les peurs, résistances et illusions des enfants qui sont représentées dans les péripéties symboliques. Les transformations des programmations inconscientes peuvent être représentées par une expérience vécue par les personnages dans un état de rêverie profonde, dans un rêve étrange, dans un pays lointain ou par la rencontre d'un personnage inusité venu d'un autre monde. Le caractère un peu flou de ces descriptions permet aux enfants de se représenter intérieurement ces aventures en lien avec leur propre réalité consciente et inconsciente.

Pour illustrer cela, imaginons une histoire à raconter à un enfant qui a de la difficulté avec la maîtrise de certaines émotions. L'enfant devient l'explorateur. Son expérience devient un voyage. La clé de sagesse lui vient par une rencontre inattendue avec un arbre.

« Je vais te raconter l'histoire d'un explorateur que j'ai rencontré il y a très longtemps. Il venait de très loin et quand je l'ai rencontré, il m'a dit qu'il retournait maintenant à la maison (*centrage*). Il m'a raconté qu'il avait beaucoup voyagé et traversé de nombreux paysages (*expériences et illusions*). Il était très curieux et il s'arrêtait souvent pour regarder une belle fleur, une roche spéciale, un petit animal ou quelque chose qui attirait son attention. Il disait qu'il avait souvent quitté la route pour les découvrir de plus près (*expérience des sens et ressenti du cœur*) et qu'il avait traversé des champs, des rivières, des forêts, des vallées et des montagnes inconnues (*créateur de notre expérience*). Il m'a raconté beaucoup d'expériences dans lesquelles il avait vécu toutes sortes d'émotions et, en particulier, la fois où il marchait un peu vite en regardant partout sauf devant lui et où il s'était assommé solidement en se cognant sur un tronc d'arbre (*expérience difficile*). Il disait qu'il avait eu beaucoup de douleurs dans son corps, il s'était senti étourdi et avait mal au cœur (*blessures, déséquilibre, sentiments négatifs*). En revenant à lui, il avait eu envie de se fâcher contre cet arbre qui l'avait blessé (*victime*), de le frapper et même de le couper (*agresseur*). Puis il s'est rappelé qu'en faisant cela, l'arbre aussi allait avoir mal et qu'ils seraient maintenant deux à soigner et à guérir (*sauveur*). Alors il s'était assis au pied de l'arbre et s'était presque endormi. Dans un drôle de rêve, il avait entendu l'arbre lui parler et lui dire qu'il avait été planté là il y a plusieurs années par Dame Nature et qu'il avait accepté le

rôle d'être celui qui allait l'assommer pour l'aider. Surpris, l'explorateur avait répondu dans son rêve qu'il ne comprenait pas comment un arbre pouvait l'aider en l'assommant. L'arbre lui avait expliqué qu'il était en train de se perdre de plus en plus loin dans la forêt (*illusions*) et que cette rencontre choc allait lui permettre de s'arrêter un peu pour écouter sa boussole intérieure (*ressenti du cœur*) et reprendre le cap de son chemin pour rentrer à la maison. Puis l'arbre avait ajouté que l'Amour est le seul chemin pour rentrer à la maison... nous sommes Amour et le but de la vie est de l'exprimer librement (*clé de sagesse*). L'explorateur m'a dit qu'il s'était ensuite réveillé et que quelque chose en dedans de lui avait changé. Il avait serré l'arbre très fort dans ses bras en le remerciant de l'avoir aidé de la façon dont il était capable et que cela changeait sa façon de voir beaucoup d'expériences qu'il avait vécues et celles qui allaient venir (*accueil de l'expérience, compassion et gratitude*). Puis, il avait repris sa route et c'est là que je l'avais rencontré. »

Il est évident que la façon dont nous racontons les histoires a un impact sur leurs portées auprès des enfants. La connexion de cœurs, la vitalité et les endroits où nous ajoutons une intonation, une expression, un regard ou un geste particulier sont ceux qui soulignent les messages qui seront retenus par la majorité des enfants. Un petit moment de silence, une respiration profonde, un son féerique, un geste symbolique ou un signal particulier peut être très approprié juste avant ou juste après qu'une clé du cœur ou une clé de sagesse soit apportée par un personnage de l'histoire.

Il est intéressant de laisser certaines histoires ouvertes afin de laisser la place aux enfants pour qu'ils écrivent eux-mêmes le dénouement qu'ils souhaitent. Il peut être amusant de leur proposer des activités créatives en utilisant comme point de départ les expressions qu'ils utilisent pour décrire leurs expériences de difficultés, de résistance ou de peur et de les laisser trouver leurs propres voies de solutions.

Voici quelques exemples de projets individuels ou collectifs :

- Écrire une histoire où le personnage fait face à ce qui semble être un gros obstacle pour lui et apprend à y trouver ses forces et une solution dans l'harmonie et le respect de tous.
- Illustrer un conte où le personnage qui se sent coincé dans des jeux de pouvoir trouve enfin son chemin pour être libre dans son cœur, bien dans sa peau sur la Terre et en harmonie avec la vie.
- Jouer en musique une histoire où plusieurs personnes qui ont de la difficulté à bien s'entendre peuvent arriver à jouer à leur propre rythme tout en créant une mélodie collective harmonieuse.
- Raconter une légende qui décrit un monde où il y a beaucoup d'insatisfactions et d'obligations, le monde dans lequel ils voudraient vivre, et le chemin et les choix pour arriver à ce monde.
- Préparer une petite pièce de théâtre où les acteurs jouent le rôle de plusieurs personnages très différents et où ils terminent en jouant simplement le rôle d'être eux-mêmes, dans l'Amour et l'unité.

- Dessiner des mandalas individuels ou collectifs qui les aident à se recentrer dans leur cœur, à maîtriser leur énergie et à créer des ouvertures à de nouvelles façons de percevoir la vie et les expériences.
- Écrire, illustrer, jouer, raconter, dessiner... ce qui leur permet de se reconnaître, se faire confiance, s'aimer, se respecter et exprimer ce qu'ils sont en unité avec les autres, la Terre, le Tout.

Ces activités offrent de nombreuses voies d'expression pour les enfants. Leurs cœurs et les nôtres en trouveront une multitude en jouant à laisser notre créativité émerger de façon harmonieuse.

De façon individuelle ou en cercle de sagesse, nous pouvons aussi jouer à nommer des situations ordinaires et à en apprécier l'extraordinaire. Cela peut s'intégrer facilement dans le contexte scolaire, familial, des vacances, etc.

Voici quelques exemples avec les enfants assis en cercle :

- Un enfant nomme une situation de tous les jours et les autres répondent spontanément ce qui leur est inspiré dans le cœur.
- Un enfant nomme une situation de tous les jours et les autres nomment le cadeau de la vie qui s'y trouve caché.
- Un enfant nomme une situation de tous les jours et les autres nomment la couleur ou le son qui leur est spontanément inspiré. Nous pouvons en faire une mosaïque avec des papiers de couleurs ou un concert improvisé, juste pour le plaisir de découvrir cette situation autrement.

- Nous amenons une photo en format normal. Nous amenons la même photo en format très agrandi, découpée en petits morceaux. Nous invitons les enfants à assembler le casse-tête, à découvrir le sujet original de la photo et à observer les mini détails qu'ils ne voient pas normalement dans la petite photo.

- Un enfant nomme un moment magique dans sa vie, ce qui l'a rendu magique pour lui et comment il peut multiplier cette magie dans la vie.

L'expression et le langage des sens du cœur nous offrent à tous de nombreuses facettes pour découvrir la vie autrement et choisir d'orienter notre attention vers ce qui a un sens véritable pour nous. Le ressenti est notre meilleur guide pour discerner les perceptions de nos sens physiques et celles des sens du cœur.

Il nous appartient à tous de partager avec les enfants les rêves, inspirations et intuitions qui habitent tous nos sens du cœur depuis si longtemps, de les dépoussiérer et les réveiller si nécessaire et d'en accueillir la réalisation en harmonie avec l'idéal divin. Il nous appartient d'éclairer le monde actuel avec la lumière du monde de paix dont nous rêvons et de rayonner librement ce que nous sommes.

L'EXPRESSION ET LE LANGAGE DU CŒUR

Le langage du cœur est le plus simple. Il ne contient pas de mots, ni de règles de grammaire ou de nationalité. C'est un langage de vibrations, d'énergie d'Amour qui circule librement. Le ressenti du cœur est ce qui nous permet de « décoder » ces messages vibratoires.

Le langage du cœur est le langage par lequel notre âme nous dit ce qui est bien et bon pour nous, ici et maintenant dans notre expérience de vie. Notre âme veut toujours que nous soyons heureux. Nous le sentons lorsque notre cœur est rempli de joie, que nous avons une envie irrésistible de sourire, que nos yeux brillent ou que nous avons soudainement un regain d'énergie. Elle nous guide par notre intuition et par les pensées, paroles et actions justes pour nous.

Le langage du cœur est celui de notre rayonnement. Nous avons tous déjà vécu ces expériences qui n'ont pas besoin de mots, où nous sentons notre cœur en expansion et où un regard est à lui seul une conversation complète. C'est ce qui alimente et fait briller notre aura et tous nos corps d'énergie. Cela a été représenté de nombreuses fois lorsque les grands Maîtres et les Saints étaient dessinés avec une auréole dorée ou enveloppés d'un manteau de Lumière.

Le langage du cœur est universel. C'est ce qui permet à tous les Êtres de l'univers de vivre en unité et de communiquer ensemble. Nous avons tous la connaissance innée du langage du cœur : c'est l'Amour que nous sommes qui s'exprime. La multiplicité des langues terrestres symbolisée par la tour de Babel représente l'expérience des polarités du mental plutôt que l'unité du cœur. L'écoute du ressenti du cœur dont nous avons souvent parlé dans les chapitres précédents nous permet de recentrer nos façons de communiquer et de vivre ensemble sur la Terre dans la voie de l'unité. C'est ce qui nuance le choix de « faire la paix » et « faire l'amour » qui est le chemin du mental à celui « d'être en paix » et « d'être Amour » qui est le chemin du cœur.

Le langage du cœur est illimité et infini. Le temps, l'espace, les plans, les dimensions et les univers sont tous accessibles par le langage du cœur. Le langage du mental questionne, explique et exprime ses perceptions. Le langage du cœur écoute et résonne ce qui Est.

Tous les cœurs d'enfants connaissent bien le langage du cœur, de la pureté et de la transparence. Le mode d'emploi est simple : vivre dans son cœur et y rester !

CONCLUSION DU TOME 2
MESSAGE DES ENFANTS
DE LA TERRE NOUVELLE

« Les enfants vous saluent à nouveau. Et c'est avec un grand sourire de satisfaction que nous imaginons déjà les vibrations de cette planète où circulent des communications plus claires issues du cœur. Nous sommes ravis de voir vos consciences sans cesse s'ouvrir et s'éclairer par tous ces cheminements que vous faites à la rencontre de vous-mêmes. C'est là et vous le savez, la clé des relations harmonieuses avec les autres.

Profitez bien de ces moments privilégiés de votre histoire où vous vous rappelez qui Vous Êtes et apprenez à le partager librement et dans l'Amour. Bien sûr le temps est une illusion, mais cette illusion est au service de l'évolution et de l'expérience de soi si vous comprenez que la joie et l'harmonie que vous installez maintenant se multiplient dans tous les temps simultanément.

Nous sommes heureux de nous reconnaître dans la lueur vivante de vos robes de Lumière lorsque vos cœurs rayonnent si magnifiquement. Nous sommes heureux que vous puissiez vous reconnaître lorsque vous voyez à votre tour la Lumière que nous sommes. Nous sommes très heureux que les vibrations du cœur redeviennent de plus en plus facilement notre moyen de communiquer. N'est-ce pas que c'est un beau langage universel et qui plus est, il ne comporte aucune règle de grammaire, ni d'accent, de conjugaison ou d'exception. Wow ! La vie facile !

Nous aimons bien rigoler comme vous le constatez à nouveau. C'est que nous sommes tout comme vous, des êtres joyeux, libres et heureux. Cela peut vous sembler farfelu car vous croyez peut-être que nous y allons un peu fort. Qu'à cela ne tienne, osez simplement croire que c'est la vérité et que vous êtes en train d'en redécouvrir l'expérience et la réalité au fur et à mesure que vous vous allumez ! Ah ah ah ! Pensez-y, vous « allumez » lorsque vous laissez votre Lumière émerger !

Nous vous offrons une abondance de bénédictions et un ruisseau d'Amour éternel afin d'apaiser toutes vos soifs. Nous vous offrons notre compassion et notre gratitude infinie car nos partages nous permettent aussi d'évoluer et de faire davantage grandir nos forces d'Amour. Nous vous souhaitons de très belles aventures de communication et relationnelles avec autant d'Anges déguisés que de personnes à qui vous parlerez ou que vous écouterez.

Nous vous remercions encore d'être qui Vous Êtes et nous vous aimons sans conditions. À bientôt ! »

- 4 août 2004

ANNEXE – LISTE DES TABLEAUX

À PROPOS DE L'AUTEURE

Lucie Marcotte a une formation en sciences (M.Sc.chimie-biochimie), ainsi qu'en approches d'accompagnement des personnes, programmation neuro linguistique (formatrice PNL), médecines douces, gestion de projets, communication et leadership. Dans les premières années de son parcours professionnel, elle a contribué à des activités de développement appliqué dans les domaines de la santé, l'environnement, la métallurgie et les polymères, au sein d'organisations gouvernementales et d'entreprises multinationales. Elle a ensuite œuvré dans les domaines de l'enseignement, la formation et comme personne ressource en sciences, communication, climat de travail valorisant, développement personnel et expression artistique, avec des clientèles professionnelles, étudiantes, adultes en transition de vie, intervenants de la santé, le public et des groupes d'enfants. Elle a conçu et animé ces ateliers au niveau universitaire, collégial, secondaire, primaire et public.

Parallèlement, elle a accompagné de nombreux enfants, adolescents et jeunes adultes qui vivent des expériences d'hyperactivité, déficit d'attention, dyslexie, difficultés d'apprentissage et de comportement, et qui cherchent à retrouver un état personnel, scolaire et social plus équilibré. Elle a utilisé une combinaison d'approches qui favorisent l'accueil et l'intégration harmonieuse de leur potentiel et pouvoir d'auto harmonisation corps-âme-esprit. Elle privilégie les approches qui conservent à chacun sa dignité d'Être et le seul vrai guérisseur : l'Amour. Elle offre des conférences pour partager des façons d'accompagner cette nouvelle génération.

Musicienne et artiste de cœur, elle crée des musiques et des chansons dont les paroles sont porteuses des vibrations d'amour, de reconnaissance, d'encouragement et de lumière dans notre cheminement humain. Elle développe une variété d'activités créatives qui favorisent la connexion avec le cœur, l'harmonie corps-âme-esprit et l'enracinement les deux pieds sur Terre (son, djembé, musique, couleur, mandala, géométrie sacrée, respiration). Elle a publié le livre « *Mandalas–À la découverte de Soi* » aux Éditions Robert Lachance en 2004.

Le projet « Sciences de la Vie »

Elle est activement impliquée dans la préparation du projet « Sciences de la Vie », qui comprend la création d'un Institut des Sciences de la Vie dont les activités regrouperont une éducation vivante adaptée aux nouveaux enfants, la recherche et développement sur la science du son, les médecines vibratoires et les nouvelles technologies en harmonie avec les lois de l'univers, le développement d'animations et outils appropriés pour l'éducation et l'accompagnement personnalisé, ainsi que l'organisation d'un colloque annuel. Les grandes lignes de ce projet seront décrites dans le livre « *L'éducation des enfants de la Terre Nouvelle* ». Ce projet pourra contribuer ou inspirer la création de nouvelles écoles thématiques adaptées à la reconnaissance et au développement des dons, forces et talents des enfants, selon leurs chemins de vie et intégré à des projets qui contribuent au plus grand bien. L'impact souhaité est un rayonnement de l'Amour plus épanoui, individuellement, collectivement et universellement.

Pour la rejoindre ou pour avoir davantage d'information : www.luciemarcotte.com

Projets de publications de l'auteure

L'enracinement et la maîtrise de l'énergie

L'enracinement les deux pieds sur Terre, le centrage et l'alignement. La connexion avec la nature et les éléments. L'environnement. L'alimentation. La respiration. L'équilibre et l'unification des hémisphères du cerveau. L'harmonie et la paix intérieure.

La reconnaissance et le leadership du cœur des nouveaux enfants

Créer ce qui nous rend heureux. Faire des choix avec la voie du cœur. Aider les enfants à s'aimer et se reconnaître. Dissoudre les croyances de sabotage. La reconnaissance, la confiance et l'estime de soi. Multiplier les expériences de succès. Faciliter les changements avec les enfants. Le leadership du cœur.

L'éducation des nouveaux enfants

Une vision d'évolution ; approches et structure d'enseignement de la Terre Nouvelle. Une éducation pratique et concrète. Reconnaissance du chemin parcouru par les enfants. Les lois de l'univers : relation à la Terre et l'univers. La magie de la vie : relation à soi. L'unité dans la diversité : relation avec les autres - L'éveil des sens et du ressenti : relation à la vie.

RÉFÉRENCES ET SOURCES D'INFORMATION SUR LES NOUVEAUX ENFANTS

Livres

- Célébration des enfants indigo – Doreen Virtue, Éditions Ariane, 2002
- Aimer et prendre soin des enfants indigo - Doreen Virtue, Éditions Ariane, 2002
- L'enfant de Lumière – Andrée Fauchère, Éditions Louise Courteau, 2000
- Les enfants Indigo – Lee Carroll, Jan Tober, Éditions Ariane, 1999
- Je viens du soleil – Flavio M. Cabobianco, Éditions Aureas, 1999
- Indigo. Ces êtres si différents - Sélène et Cyrille Odon, Éditions I.E.R.O , 2001
- Enfants indigo: La nouvelle génération - Manuel pratique pour parents et éducateurs - José Manuel Piedrafita Moreno, Éditions Vesica Pisces, 2002
- Les enfants « étoiles » - Georg Kuhlewind, 2002
- Le mystère des enfants indigo - Carolina Hehenkamp, Éditions Exergue, 2003
- Vivre avec un enfant indigo – Carolina Hehenkamp, Éditions Exergue, 2002
- Les petits princes d'aujourd'hui (Les enfants au manteau indigo), Éditions Esthercielle, 2002
- Enfants nouveaux, enfants du verseau – Louise Gauthier, Revue Vitalité Québec, Fév. 2001
- L'enfant indigo – Arthur Colin, Éditions du Rocher, 2003

- L'œil du monde et l'enfant indigo – Arthur Colin, Éditions du Rocher, 2004
- Emissary of Light – James Twyman, Éditions Hampton Road, 1996
- Emissary of Love – James Twyman, Éditions Hampton Road, 2002

Sites Internet

- www.indigochild.com
- www.indigochild.net
- www.indigochild.co.za
- www.webindigo.net
- www.petitmonde.com
- www.web.wanadoo.be/scarlett (hyperactivité et troubles associés)
- www.groups.msn.com/PlanetIndigo
- www.childrenofthenewearth.com
- www.indigothemovie.com
- www.emissaryoflove.com (James Twyman)
- www.luciemarcotte.com (Lucie Marcotte)

Sites Internet - dont les auteurs interagissent avec les nouveaux enfants

- www.spiritofmaat.com et (Drunvalo Melchizedech)
- www.fleurdevie.com (Rachel Pelletier)
- www.conversationswithgod.org (Neale D. Walsch – co-producteur du film Indigo)
- www.spiritualcinemacircle.com (Stephen Simon – co-producteur du film Indigo)
- www.esthercielle.com (Esthercielle – canalisation)

Livres - relation avec les enfants et/ou la Terre Nouvelle

- Mandalas À la découverte de Soi, Lucie Marcotte, Éditions Robert Lachance, 2004
- Les familles d'âmes, Marie-Lise Labonté, Éditions Le Dauphin blanc, 2002
- Conversations avec Dieu Tomes 1,2,3, Neale Donald Walsch, Éditions Ariane, 1995/97/99
- L'amitié avec Dieu, Neale Donald, Walsch, Éditions Ariane, 2000
- Communion avec Dieu, Neale Donald Walsch, Éditions Ariane, 2001
- L'ancien secret de la Fleur de vie Tomes 1,2, Drunvalo Melchizédek, Éditions Ariane, 2000, 2001
- L'Éveil au point zéro, Gregg Braden, Éditions Ariane, 1997
- Telos I et II, Aurélia Louise Jones, Éditions Ariane, 2002, 2003
- À la découverte de la quatrième dimension, Claire Wiseman, Éd. Papillon Blanc, 2002
- Messages from water Vol 1.et 2, Masaru Emoto, Éd. HADO Kyoikusha Co. Ltd., 1999/2001
- Starbrow, A spiritual adventure, Tim Ray, Beamteam Books, 1998

Livres - outils de communication et relations avec les enfants

- La Programmation Neuro-Linguistique à l'école, Reine Lepineux, Nicole Soleilhac, Andrée Zerah, Nathan, 1994
- Un cerveau pour changer, Richard Bandler, Interéditions, 1995

- D'un monde à un autre, Nelly Bidot, Bernard Morat, Interéditions, 1993
- Derrière la magie, Alain Cayrol, Josiane de Saint Paul, Interéditions, 1992
- Choisir sa vie - Josiane de St Paul, Interéditions, 1993
- Pour une vie sans pareille, David Gordon, Atelier du CQPNL, 1995
- Changing Beliefs Systems with NLP. Robert Dilts, Metapublications, 1990
- Systemic NLP: Unified Field Theory , Robert Dilts, Todd Epstein, 1993
- La PNL, Catherine Cudicio, Les Éditions d'Organisation, 1991
- DICO PNL, Bernard Hevin, Jane Turner, Les Éditions d'Organisation, 1995
- Manuels des formations de PNL (base, praticien, maître-praticien, post-maître praticien/animateur), Joanne Riou, Centre québécois de PNL, 1989/1995
- Manuel de formation de formateur en PNL, Robert Dilts et Judith DeLozier, NLPU, Californie, 1996
- Arrosez les fleurs pas les mauvaises herbes, Fletcher Peacock, Éditions de l'Homme, 1999

**Autres publications
L'Or des Temps, diffusion**

Manuel d'insertion galactique, premier niveau

Shamballa et les Maîtres de Sagesse
La réconciliation

Shamballa, tome 2
Sur le chemin de l'Initiation